MIRREYNATO

RICARDO RAPHAEL

MIRREYNATO

LA OTRA DESIGUALDAD

temas'de hoy.

Diseño de portada: Liz Batta
Imágenes de portada: © Shutterstock

Bajo el sello editorial TEMAS DE HOY M.R.
Avenida Presidente Masarik núm. 111, Piso 2
Colonia Polanco V Sección
Deleg. Miguel Hidalgo
C.P. 11560, México, D.F.
www.planetadelibros.com.mx

Primera edición: noviembre de 2014
Segunda reimpresión: marzo de 2015
ISBN: 978-607-07-2485-5

Impreso en los talleres de Litográfica Ingramex, S.A. de C.V.
Centeno núm. 162, colonia Granjas Esmeralda, México, D.F.
Impreso y hecho en México – *Printed and made in Mexico*

A Santiago y Sebastián, que ya están en edad de diferenciar entre mérito y lotería.

En el hidalgo pueden observarse esos aires altaneros y orgullosos, que llegan hasta la brusquedad. Engreídos de su alcurnia, que están siempre dispuestos a probar, desprecian todo cuanto no tiene la misma condición.

Jakob Mauvillon, 1740

¿Cómo definir el erotismo de un hombre (o de una época) que ve la seducción... concentrada en mitad del cuerpo, en el ombligo?

Milan Kundera, 2014

Índice

Introducción

En 1999 Warren Buffett, uno de los tres hombres más ricos del mundo, anunció que no heredaría a sus hijos su inmensa fortuna, calculada hoy en alrededor de 62 000 millones de dólares: dejará para cada uno de sus seis descendientes directos 10 millones y el resto será donado a obras de caridad. El periodista Ted Koppel lo entrevistó entonces para la cadena ABC en su programa *Nightline* con el propósito de que expusiera las razones de tan drástica decisión. Bajo los focos del estudio televisivo, el multimillonario compartió con parsimonia dos argumentos que desarmaron al entrevistador.

Primero dijo que sus seis hijos eran personas maravillosas y sabrían cómo crecer una herencia que la inmensa mayoría no tiene al nacer. Koppel no bajó la guardia y preguntó si sus vástagos estaban dispuestos a aceptar ese arreglo que podía parecer injusto. Buffett contestó categórico que lo había hablado con ellos y no era motivo de conflicto. Luego ofreció su segundo argumento: «No veo una sola razón por la cual alguien que se sacó la lotería deba recibir el poder para comandar los recursos de la sociedad... Sería tanto como invitar a participar como competidores para las Olimpiadas de 2000 a las hijas y los hijos de quienes ganaron las medallas en el año 1976».

Para Buffett una cosa es tener riqueza y otra muy diferente es obtener liderazgo en la sociedad por el poder que da la posesión

de una fortuna grande, de ahí que a la hora de hablar sobre el tema de la herencia sea necesario distinguir entre el dinero y el poder que lo acompaña. Quien con su esfuerzo obtuvo capital merece liderazgo social, no así la persona que ganó una rifa, como es el caso de los hijos de un multimillonario.

Este controversial banquero estadounidense habló con el periodista de *Nightline* sobre uno de los pilares fundamentales de la democracia; ese régimen que hoy quiere ser predominante en el mundo nació por una revolución impaciente de las masas en contra de la desigualdad. En más de un sentido se edificó en oposición a la herencia aristocrática que justificaba las asimetrías.

¿Cómo nombrar a un régimen donde hay elecciones y los cargos se obtienen gracias a la representación de los votos, pero al mismo tiempo conserva la herencia como mecanismo clave para obtener el liderazgo? Una aristocracia legitimada por las urnas es tan contradictoria como un ratón que vuela o un pato con cuerpo de conejo. Peor cosa es una oligarquía hereditaria que extorsiona a la sociedad para persistir en un contexto democrático.

Desde 1997 México dejó de ser un país de un solo partido y por tanto de una sola puerta para acceder al poder, de ahí que deba afirmarse que en los comicios de julio de aquel año vio su fin el régimen que nació durante el lustro previo a la segunda guerra mundial. A ese arreglo político que dominó durante la mayor parte del siglo XX se le bautizó como el régimen de la Revolución.

¿Cómo llamar al nuevo régimen que lleva andando ya diecisiete años? Según Latinobarómetro, 6 de cada 10 mexicanos dicen que esto no es una democracia sino otra cosa. Probablemente se debe a que muchos de los privilegios de antes lograron transitar a la nueva época y se han visto robustecidos: hoy las élites son más presuntuosas que antes; la impunidad presente a lo largo de la historia mexicana es más visible, lo mismo que la corrupción. La relación entre el poder y la economía de compadres fundó las grandes fortunas del siglo pasado, pero aquel México era más pequeño; hoy ese mismo acuerdo construye fortunas en unos cuantos días. Antes el país fue discriminatorio, hoy lo si-

gue siendo pero el discurso demagógico tiene más voceros. Las desigualdades siguen siendo abismales pero hoy México cuenta con el hombre más rico del mundo. Antes la movilidad social era una ambición del régimen, hoy el ascensor está de plano descompuesto: los del piso de abajo no visitan nunca a los de arriba y éstos no saben siquiera que existe la planta baja.

Las y los mexicanos estamos ante un régimen peculiar donde las élites económicas tienen más poder que nunca, y donde los políticos mueren de ganas de pasar a ser lo antes posible parte de ellas. Sin embargo, no es fácil en estos días encontrar un buen análisis sobre las altas esferas. Más allá de la escasa investigación que se hace desde el periodismo o la academia, las élites económicas han logrado escapar a un escrutinio riguroso.

¿Cómo es posible que siendo las principales beneficiarias de la muerte del régimen de la Revolución hayan logrado apartarse de la mirada pública? Esta pregunta se responde a sí misma: el principal favor que el nuevo arreglo ofreció a las élites es que no están obligadas a rendirle cuentas a nadie. Son ellas las que exigen, pero no hay instrumento para que sean exigidas. Y sin embargo, como dice Francisco Zapata, académico de El Colegio de México, «ellas bloquean de manera decisiva la participación de la mayor parte de los ciudadanos en la toma de decisiones que se llevan a cabo en nuestra sociedad».

Este libro tiene como primer propósito colocar una cámara para observar lo que ocurre dentro del *penthouse*: los modos que ordenan y reproducen el poder que nos gobierna. Quien lea estas páginas no encontrará una ambición científica en este trabajo, aunque me he permitido dejar sembradas algunas hipótesis que en un futuro me gustaría ver sometidas a un método de análisis más exigente. Lo que se quiere aquí es dibujar el testimonio de una época, hacer una humilde relación de imágenes y hechos, y no la obra total del politólogo o del sociólogo que lo comprenden todo.

Que me perdonen mis amigos de la academia por reclamarles con este libro la negligencia que hemos tenido dentro del claustro universitario para estudiar con mayor frialdad los poderes que hoy rigen detrás de las instituciones formales. Bien dice Thomas Piketty en su libro más reciente, *El capital en el siglo XXI*, que no es fácil para el investigador criticar a la élite cuando esta vive en el mismo piso que uno.

Formo parte de una generación dedicada a hablar largas horas sobre la desigualdad. En México hay más textos dedicados a analizar la pobreza que la riqueza mexicanas, y sin embargo es obvio que, dado el grado de concentración económica, ambos fenómenos están conectados. Con todo, ha parecido más justo y honorable colocar la lente desde abajo hacia arriba para mirar la construcción social.

Buena parte de mi trabajo de los últimos diez años lo dediqué a explorar las estructuras de la discriminación mexicana con esa perspectiva. Hace no tanto tuve el honor de coordinar el *Reporte sobre la discriminación en México 2012* que apareció publicado bajo los sellos del Conapred y el CIDE, un documento de varios tomos donde participaron más de cien personas para explorar los mecanismos injustos, asimétricos y sistemáticos que estigmatizan y restan dignidad a las personas que viven en los primeros pisos de la sociedad mexicana.

Después de haber atravesado por un esfuerzo extenuante, ese documento corrió la suerte de tantos otros: más allá de visitar el escritorio de algún funcionario público, terminó recluido en el estante de una biblioteca generosa. Debo decir que en las muchas entrevistas que hice para la elaboración de ese reporte encontré una fuente grande de argumentos cuyo destino merece mejor divulgación.

Por ello fue que durante 2013 publiqué en el periódico *El Universal* y en el portal de noticias *Sin Embargo*, una serie de artículos retomando algunos de los temas del trabajo mencionado. Uno de ellos, por ejemplo, llevó por nombre «La niña mazahua y el joven de Antara», y estuvo dedicado a la movilidad defectuosa de la sociedad mexicana. Otro fue sobre la discriminación que impone la economía informal; algunos más estuvieron destinados a la circunstancia injusta en que se encuentran las trabajadoras del hogar. Según mis cuentas, suman más de quince piezas las que publiqué en ambos medios durante el mismo periodo alrededor del tema de la discriminación.

Hacia el final de la ruta y sólo por no dejar, envié al diario un texto que nombré «La dictadura de los mirreyes». Comencé aquel artículo con una obviedad: dije ahí que si México no iba bien en mucho se debía a la mediocridad de sus élites, y luego derivé hacia mis reflexiones sobre la educación que reciben los hijos de las familias mexicanas más aventajadas.

Cuál no fue mi sorpresa cuando descubrí que, después de doce años como articulista, aquella pieza mereció más lecturas que ninguna otra. Mi amigo Fernando Escalante me envió un correo coincidiendo con los argumentos y advirtiendo que uno de los problemas más graves de México es «la absoluta falta de empatía de nuestras élites... [su] frivolidad y ostentación». Al final insistió en que deberíamos prestar mayor atención al tema.

Aquella consigna provocadora y el éxito inmerecido del texto me sacudieron. Primero me rebelé frente al hecho de que otros temas igual de importantes no hubieran obtenido una atención similar. Con los días fui comprendiendo, sin embargo, que para analizar a cabalidad el fenómeno de la desigualdad, en un país como el mío resulta indispensable montar una grúa y elevar el ojo del observador para analizar ese edificio social asimétrico también desde los pisos más altos.

El mismo artículo me entregó una pista interesante para proseguir: los *mirreyes*, una tribu urbana que desde mediados de la década pasada comenzó a ser síntoma vergonzoso de la ostentación mexicana dentro y fuera del territorio nacional. A diferencia de otras épocas, el investigador de hoy cuenta con un repertorio de imágenes, textos, videos y otras expresiones digitales que han vuelto más transparente lo que ocurre en la esfera privilegiada. Ese material es suculento para el aprendiz de semiólogo; se trata de una mina con signos urgidos de ser descifrados.

En 2013 un filme mexicano dedicado a burlarse de los mirreyes tuvo un éxito sorprendente en taquilla: *Nosotros los Nobles*. He de confesar que antes de acudir a la sala de cine para ver esa película, el personaje del mirrey me tenía sin cuidado; hay frivolidades peores que otras. Ahora sé que se trata de un sujeto al que debe prestársele más atención. No creo que se trate de un individuo inocuo y tampoco merece condescendencia: estoy convencido de que es el síntoma social de una enfermedad que grita para exigir mayor cuidado y la manifestación palmaria de un régimen que nació maltrecho por su moral y sus instituciones.

Los mirreyes son los herederos que Buffett no quiso tener, los muchachos que se sacaron la lotería y han logrado un liderazgo social sin justificación; personas que no tuvieron que hacer mayor esfuerzo y, sin embargo, son tratadas por la sociedad como hijos consentidos. En un principio este libro estaría dedicado sólo a escudriñar las formas, las actitudes, los desplantes y los mecanismos que estos personajes utilizan para discriminar a gran parte de la sociedad donde nacieron. Sin embargo, mientras el trabajo de investigación creció —alimentado por mis preocupaciones de siempre—, llegué a la tesis principal de este texto: el mirrey es el sujeto que mayor privilegio obtuvo con el cambio de época y por ello el régimen actual puede ser bautizado como *Mirreynato*.

El mirrey no es un personaje aislado de su entorno: en la vida real reúne características que los mexicanos compartimos en grados distintos. La principal diferencia con el resto es que, por las luces que atrae su posición social, cuanto hacen o dejan de hacer se vuelve más notorio. Es un signo excéntrico —fuera del centro— de nuestra sociedad, pero no por ello una manifestación aislada; probablemente muchos nos comportaríamos parecido si contáramos con su capital e influencia social. Puede constatarse la manera en que muchos se vuelven ostentosos, corruptos, impunes o discriminadores apenas hay una oportunidad para aprovecharse de la desigualdad persistente.

Este libro no es resultado del resentimiento sino de la conciencia sobre una realidad difícil de negar: en uno u otro momento todos los mexicanos tenemos algo de mirreyes. Por eso es que toleramos vivir en el Mirreynato sin rebelarnos; algo nos conviene de este régimen que nos inhibe de denunciarlo y combatirlo. Acaso todavía no nos indigna lo suficiente.

Quien haya llegado en su lectura hasta este párrafo sabrá ya que este libro no tiene notas optimistas. En otros momentos he escrito con un tono más esperanzador y estoy seguro de que volveré a hacerlo, pero el retrato que aquí se hace no es agradable y por tanto no pude forzar la redacción para que lo fuera. Tal vez el lector con los primeros capítulos tenga ganas de reír y luego de llorar: hice mi mejor esfuerzo para describir las excentricidades del Mirreynato. Sin embargo, una vez que la ruta me obligó a traer a la reflexión argumentos más duros sobre la desigualdad del país, ya no me fue posible sostener una prosa sin asperezas.

El lector tiene ante sí la obra de varios trabajos similares que comenzaron hace tiempo y que ahora he podido hacer coincidir dentro de un mismo volumen. Quien conozca algo de mi producción previa encontrará ideas y reflexiones que he publicado en otras partes: destaca el *Reporte sobre la discriminación en México*, la materia dura detrás del debate al que aquí convoco. Además reconozco que me fue fundamental la lectura que hice este verano del formidable libro de Thomas Piketty, *El capital en el siglo XXI*. También me ayudó para fijar algunas ideas la discusión talentosa entre mis alumnos del CIDE, con quienes este año comparto un intenso seminario sobre desigualdad y discriminación.

Debo obviamente ideas y argumentos a muchas personas con quienes ahora o en el pasado he compartido preocupaciones; por el espacio no puedo nombrarlas a todas. No obstante, antes de cerrar esta introducción necesito hacer algunos agradecimientos explícitos, primero que nada a las madres y padres de familia y también a los jóvenes estudiantes que conviven cotidianamente con los mirreyes y cuyas entrevistas me permitieron aproximarme a un mundo cargado de significados intrigantes; decidí omitir sus nombres en el texto porque una gran mayoría así me lo pidió para poder hablar libremente.

Gracias a Adrián Zurita, guionista de *Nosotros los Nobles*, por revelarme algunos secretos detrás de ese celebrado filme; a José Ceballos por el ingenio de su conversación y por haber sido uno de los fundadores del *Mirrreybook*: sin el archivo de fotos que me proporcionó, este libro se habría quedado corto en sus descripciones. También quiero dar las gracias a Luisa María Serna, la primera editora de la revista *Quién*, por su frescura y agudeza para describir las cosas que detesta de los mirreyes; a Mariana Ramírez, la mejor teórica sobre ellos que existe en el planeta; a Gabriela de la Riva por adelantarse, como siempre, a las tendencias incipientes que luego son dominantes; y también a Jesús Rodríguez Zepeda, el mejor filósofo mexicano dedicado a estudiar la discriminación, a quien le robé el subtítulo que lleva este libro: la otra desigualdad. Debo mencionar a Enrique Cárdenas, Roberto Vélez Grajales y Mónica Orozco por la generosidad con que fueron capaces de compartir su conocimiento. Distingo por igual a Mauricio Merino, Ricardo Bucio, Rogelio Gómez Hermosillo y Juan Pardinas por orientarme en más de una ocasión, lo mismo que Jorge Buendía, cuya referencia sobre Warren Buffett marcó no sólo el inicio de este texto sino de una larga reflexión sobre la meritocracia.

Me ayudaron en la investigación, corrección y transcripción de documentos, en orden alfabético, Yamel Buenrostro, Itzel Cabrero, Ixchel Cisneros, Guadalupe Cruz y Elisa Lavore; son todas cómplices de esta obra pero lo aquí escrito es sólo responsabilidad del autor. Necesito hacer un especial reconocimiento al trabajo de Ángel Iván Olvera, quien me prestó inteligencia para corroborar estadísticamente algunas hipótesis que aparecen en el capítulo dedicado a la educación.

Gracias a Gabriel Sandoval porque leyó a tiempo la oportunidad de esta aventura, y a Carmina Rufrancos por soportar amistosamente mi morosidad. También a Martha López por su corrección siempre precisa.

Marcela Azuela, mi compañera de vida, fue promotora de muchas ideas expuestas aquí: con nadie he dialogado y discutido más sobre el Mirreynato. Le siguen en la contabilidad de horas dedicadas a escucharme con resignación mis hijos Diego, Santiago y Sebastián. Gracias, Diego, por las lecturas recomendadas; a Rodrigo, el más pequeño, le ofrezco una disculpa grande por el tiempo robado a nuestros juegos. Un abrazo también para mi hermano Pablo, quien fue el primero en concebir la idea.

Comunidad de Cerrillo, 20 de octubre de 2014.

I
Entre mirreyes te veas

Su intención no era suicidarse; sólo quería ser visto y admirado. «Me voy a tirar. Tómame con tu celular». Nadie a su alrededor consideró seria la advertencia. Jorge Alberto López Amores llevaba días bebiendo mezcal y amenazando con que se lanzaría. Andaba eufórico. Durante sus últimas horas de vida estuvo cerca de las celebridades que viajaban, entre tres mil quinientos pasajeros, sobre el *MSC Divina*, un crucero que sirvió de hotel para muchos mexicanos que fueron a Brasil durante los días del Mundial de Futbol de 2014.

El miércoles 18 de julio, a punto estaba de comenzar el partido entre Chile y España cuando este joven de veintitantos años, ante los ojos incrédulos de varios observadores, colocó un camastro como trampolín y declaró con solemnidad: «¡Voy a hacer historia. Voy a detener el barco!». Dicho lo anterior tomó vuelo y brincó en dirección al mar que, doce segundos y cincuenta metros después, se lo tragó sin devolverlo nunca más a la superficie.

Más de cien personas, varias embarcaciones y dos aviones se dedicaron diez días a buscar el cuerpo de Jorge Alberto que, por razones muy distintas a las que él imaginó, terminó haciendo historia. Su padre, el procurador de justicia de Chiapas, debió apartarse de sus obligaciones públicas para enfrentar esta dolorosa tragedia personal.

Pocos días después de este suceso los diarios internacionales volvieron a dar noticia sobre las extravagancias de los viajeros mexicanos: Sergio Israel Eguren Cornejo y Rafael Miguel Medina Pederzini fueron detenidos por la policía brasileña debido a que acosaron a una mujer y agredieron físicamente a sus dos acompañantes; según los testimonios recabados, en plena vía pública intentaron poner sus manos sobre el cuerpo de la brasileña y cuando el marido reclamó, los acusados procedieron a golpearlo. Ambos fueron diputados locales del Partido Acción Nacional (PAN) en el Distrito Federal y, en la fecha del desafortunado episodio, fungían como altos funcionarios de la delegación Benito Juárez de la capital mexicana.

Un mes antes, el 15 de junio de 2014, Miguel Lozano Ramos cayó desde el sexto piso de una torre ubicada al sur de Londres, en Inglaterra. De acuerdo con Samson Oguntayo, un vecino que observó la escena, segundos antes dos jóvenes estaban teniendo sexo sobre el balcón de una terraza. «Podía observarse que estaban haciendo algo muy peligroso. En algún momento los amigos salieron a la terraza y entonces la pareja abandonó lo que hacía, pero una vez solos, recomenzaron. Lo último que me imaginé era verlos caer».

De acuerdo con el testimonio de un amigo cercano a Miguel, el joven mexicano recién había llegado a Londres para tomar un curso de inglés en la prestigiada escuela Bellerbys, lugar donde la colegiatura anual llega a ser de medio millón de pesos. Fue invitado a una fiesta en la lujosa torre con vista al Támesis donde conoció a Anastasia Tutik, una guapa chica de ojos verdes y de origen ruso. Pocas horas después, en la terraza del departamento donde tenía lugar la reunión social, ambos jóvenes perdieron el equilibrio y con ello la vida.

El padre del mexicano, Miguel Lozano Munguía, voló el día posterior al accidente a la capital inglesa para reconocer el cuerpo de su hijo, quien sólo contaba con dieciocho años. Este hombre fue presidente municipal de Pesquería, estado de Nuevo León, y presidió recientemente el Partido Revolucionario Institucional (PRI) en esa entidad.

Un año antes de estos tres episodios, durante el verano de

2013, tres jóvenes mexicanos se volcaron en un *jeep* cuando viajaban por las islas griegas; estuvieron a punto de morir, también por obra del alcohol. En varios hoteles de las principales ciudades europeas se ha tomado la decisión de no alojar jóvenes mexicanos por los destrozos que suelen hacer durante los viajes que se organizan para ellos como premio por haber concluido la preparatoria: se trata de una gira que dura entre tres y cuatro semanas para conocer los principales antros europeos. No son excepción las cuentas de cincuenta mil euros, firmadas con una tarjeta adicional a la de los padres, ni las pistas de baile tapizadas con botellas de champaña Moët & Chandon. En los hospitales de Madrid y Barcelona hay registro sobre la gran frecuencia con que, en el verano, se atiende a jóvenes mexicanos afectados por congestión alcohólica.

Es común que los cónsules del Servicio Exterior Mexicano acudan ante la autoridad policial extranjera para liberar a estos ciudadanos de su país; previamente, desde México, los funcionarios reciben una llamada de auxilio de algún personaje muy influyente. También existen testimonios sobre la presencia de mexicanos veinteañeros que visitan los casinos de la Costa Azul para jugar cantidades sorprendentes; pueden perder mucho dinero porque para ellos no lo es. Con apuestas de mil euros cada vez sobre el tapete verde, afirman que la diversión lo merece.

La lista de anécdotas trágicas o vergonzosas ocurridas en el extranjero, como las aquí narradas, es larga y tiende todos los años a ser más grande. ¿Por qué los hijos de mexicanos económica o políticamente poderosos están dando este espectáculo tan peculiar? Todo podría quedar como una mala broma guardada con sigilo en el sótano de la casa, si no fuera porque las redes sociales se han convertido en un registro muy visible de los excesos y las bacanales: en las cuentas de Facebook, Instagram o Twitter de estos muchachos se puede constatar el comportamiento narrado.

No sólo a Jorge Alberto López Amores le importaba ser grabado por un celular mientras realizaba su equivocada hazaña: existen en la red fotografías de las cuentas millonarias pagadas con el dinero de papá, y también de los baños de cuerpo entero con champaña, los paseos nocturnos en limusina por Campos Elíseos y de los hoteles de cinco estrellas donde estos jóvenes y los jeques árabes comparten piso y estilo de diversión.

Tal actitud no es una señal que sólo se manifieste cuando estos mexicanos salen del país, los excesos son igualmente parte de su cotidianidad cuando están en casa. Un ejemplo que puede encontrarse dentro del mundo digital es el video producido por un grupo de recién egresados del Colegio Irlandés, de la ciudad de México, donde los muchachos se retratan como zombis vestidos con trajes Armani, danzando dentro y fuera de una inmensa piscina en una mansión espectacular; ahí consignan el orgullo que les provoca embrutecerse con alcohol y probablemente con otros estimulantes sintéticos. En un momento la cámara gira en otra dirección para capturar a un grupo de egresados, liderado por un joven —acaso el anfitrión—, quien enciende una botella en cuyo interior se agitan líquidos inflamables. A la manera de una bomba molotov, ese artefacto es lanzado contra un autobús viejo de pasajeros que estalla para regocijo de una veintena de zombis fascinados con las llamas amarillas y naranjas que arroja el espectáculo.

Ese video de graduación produjo escándalo entre los cibernautas mexicanos, también durante el verano de 2014. Pero aún mayor efecto tuvo otro producido por los alumnos del Instituto Cumbres, centro escolar perteneciente, al igual que la escuela anterior, a la orden religiosa de los Legionarios de Cristo. En esta otra pieza un personaje de barba escasa despierta en una cama inmensa gracias al arribo de un mayordomo con una invitación en una charola; baila frente a su lacayo y luego, en un sitio diferente de su residencia, otro sirviente le proporciona un masaje y le depila el pecho. Después vendrá la cámara de bronceado, y al terminar con los cuidados de la piel, el mozalbete del Cumbres se dirige a un vestidor enorme donde escoge un reloj dorado entre varias centenas de objetos de un lujo extraordinario; es atendido por un sastre que le prepara corbata, camisa y traje a la medida, y queda listo para su graduación. El video termina cuando el personaje sube a un MG descapotable, color blanco, en cuyo asiento contiguo va sentada una princesa merecedora de su fortuna. El jardín delantero de la mansión tiene aires de Versalles.

Estos videos, y varios otros, exhibieron la excentricidad que caracteriza a los hijos de la élite mexicana y produjeron con ello enojo en la opinión pública. Algo de inmoral hay en esas imágenes si se asume que contrastan con la pobreza que existe en México; no es signo positivo para un país que se pretende república cuando algunos de sus ciudadanos ostenten de manera tan descarada su riqueza y privilegios.

Sin embargo, esos mismos personajes de los colegios Cumbres e Irlandés, y los muchos que se les parecen, provocan en realidad un sentimiento ambiguo: es cierto que de un lado arrancan expresiones de rabia, pero también lo es que terminan siendo tratados con indulgencia. Hay quien asume que esos niños ricos se echaron a perder porque sus padres los malcriaron y por tanto merecerían condescendencia. Lo que les ocurre no es culpa suya, sino de sus progenitores ausentes.

Este es uno de los argumentos de la película *Nosotros los Nobles*, del productor y director Gary Alazraki, cuyo éxito fue rotundo en las taquillas del cine mexicano durante el año 2013. Nunca otro largometraje nacional obtuvo el mismo resultado: acudieron a verla 5.2 millones de personas y logró convertirse en un negocio de más de 320 millones de pesos.

Se trata de una comedia donde la trama logra burlarse de las clases altas mexicanas sin violentarlas ni agredirlas con majadería. Nada tiene que ver con el drama de 1948 *Nosotros los pobres,* dirigido por Ismael Rodríguez y estelarizado por Pedro Infante, quizá porque la desgracia de los desposeídos hoy ya no es narrativa que atraiga grandes audiencias a las salas de cine.

La historia de *Nosotros los Nobles* es la de un padre pudiente que, gracias a sus negocios como constructor, sacó adelante a tres hijos, quienes por obra de la vida crecieron huérfanos de madre. Cuando la circunstancia les exige a esos muchachos actuar como personas adultas, el padre se da cuenta de que no logró transmitirles el valor de la cultura del esfuerzo: sus vástagos viven en una torre de marfil que nada tiene que ver con la realidad de la sociedad en la que nacieron. Decide entonces fingir una bancarrota y lleva a los dos varones (Javi y Carlos) y su hija (Bárbara) a vivir en una casa destartalada ubicada en una colonia humilde.

La historia es hilarante por la dificultad que tienen estos jóvenes, antes privilegiados, para adaptarse a su nuevo contexto. Sin embargo, al final los tres exhiben habilidades notables para sobrevivir, a pesar de los desafíos impuestos por el padre. La historia termina con la feliz lección aprendida. No sobra aclarar que la fortuna del padre nunca estuvo en riesgo.

¿Por qué tuvo tanto éxito este largometraje? Las actuaciones y la fotografía son aceptables y cabe decir que la dirección sacó jugo de cada personaje y cada escena. Sin embargo, el principal factor lo aportó la historia misma, el guión de Adrián Zurita, que fue capaz de mostrar un lado vergonzoso de la sociedad mexicana —la frivolidad de su élite— con humor e inteligencia; arrancó risas entre un público enojado con ese sector de la sociedad, y también impuso indulgencia. Cabe preguntarse si un productor nacido en una cuna distinta a la de Alazraki —sin algodones ni seda— habría sido capaz de presentar esta ignominiosa realidad por medio de una comedia.

Javi, el hijo mayor de la familia Noble, es señalado en el filme por ser un mirrey. Su forma de vestir, ostentar y fanfarronear corresponden a este personaje, siempre difícil de definir y que sin embargo se ha vuelto parte del paisaje mexicano del siglo XXI.

El término comenzó a utilizarse entre la población más joven de la élite hacia principios de la década pasada; así solían llamarse unos a otros los descendientes de la migración libanesa, pero con el tiempo el vocablo ganó residencia en circuitos más grandes, siempre dentro de las altas esferas sociales.

En marzo de 2011 apareció en la ciudad virtual un sitio que, al igual que *Nosotros los Nobles*, obtuvo inmensa popularidad. Todavía existe en la red el *Mirrreybook*, un blog diseñado por dos jóvenes profesionales de la mercadotecnia, José Ceballos y José Escamilla. El origen del sitio digital merece contarse.

La historia comienza cuando los creadores acudieron a un concierto masivo de una banda francesa en el Palacio de los Deportes. De regreso en casa de Escamilla, mientras compartían una cerveza, los dos bromearon sobre el olor a mirrey que había dominado durante el evento. Fue en esa conversación que se propusieron abrir un blog para subir fotos de personas que correspondieran a tal descripción: la idea era burlarse de ellos en un libro digital, exhibir sus poses, su vestimenta, sus expresiones más comunes.

Al día siguiente Ceballos abrió una cuenta de Twitter, otra de Facebook y creó un blog en Tumblr, todo bajo el nombre *Mirrreybook*, con el objeto de subir imágenes y citas relativas a los mirreyes. Extrajo cincuenta fotos del sitio electrónico Tonight.com —publicación dedicada a consignar la diversión en centros nocturnos, antros y fiestas— y las colgó en el nuevo sitio. Una de las primeras fue la de un chico divirtiéndose en un bar de la colonia Polanco, del Distrito Federal, mientras abraza a una joven muy atractiva; ambos posan para la cámara y levantan y aprietan los labios, como si enviaran un beso al obturador. José Ceballos escribió para el pie de esta foto: «este es nuestro primer *post* para la mejor *duck face* del mundo».

Mucha fue su sorpresa cuando sólo tres días después de celebrada su travesura descubrieron que la cuenta de Twitter del *Mirrreybook* había sumado más de tres mil seguidores. Noventa y seis horas después de la broma, Ceballos y Escamilla recibieron una llamada de Radio Ibero para invitarlos a participar en un programa donde el tema serían justamente los mirreyes. Estos jóvenes mercadólogos habían tocado una fibra social cuya potencia no se valoraba todavía en su justa dimensión. Comenzaron a llegar a la dirección electrónica del blog decenas y decenas de fotos cuyos remitentes deseaban verlas publicadas de inmediato. Al principio supusieron que se trataba de imágenes que alguien había robado de otro sitio —de las páginas de Facebook o de diversas publicaciones electrónicas— para burlarse de los mirreyes; sin embargo, pronto descubrirían que los verdaderos *fans* de la página eran las personas contra quienes estaba dirigida la broma.

José Ceballos recuerda un correo electrónico de un muchacho exaltado que envió tres imágenes al tiempo que exigía a los editores que escogieran una porque deseaba ser parte del nuevo álbum digital; con esa comunicación constataron que habían creado un sitio capaz de ofrecer pertenencia y prestigio a quienes aparecieran en él. «Muchos mandaban sus propias fotos porque querían estar ahí, para ellos era un motivo de orgullo, se volvió un [signo de] estatus», afirma en entrevista José Ceballos. La colección no dejó de crecer y sus editores tomaron la decisión de subir sólo las mejores. Ambos compartían un sentido del humor similar y a las fotos elegidas solían colocarles un pie que, sin ser agresivo o hiriente, implicara un significado divertido.

En su mejor momento, este blog llegó a contar con más de un millón y medio de visitas, una cantidad que envidiarían la mayoría de los medios de comunicación en su primer año de vida. Los mirreyes, sus seguidores y también sus detractores encontraron en el *Mirrreybook* un lugar virtual donde darse cita y compartir un pasatiempo común: la ostentación del poder económico a todo color.

Esta exhibición fotográfica no tiene desperdicio. Ninguna revista de sociales ha logrado capturar tan bien los elementos que definen simbólicamente al mirrey: champaña y *duckface*; camisa desfajada y desabotonada hasta la boca del estómago; dinero en todas sus representaciones; pañuelo que asoma de la bolsa superior izquierda de un saco que porta el chico de quince años; el cinturón que no puede pasar inadvertido por su enorme hebilla con las letras CH, de Carolina Herrera; el dedo índice que señala a un otro imaginario, mientras el gesto de su dueño ofrece una mirada desdeñosa. La mascada de ciento cincuenta dólares alrededor del cuello, la bufanda carísima que baja en líneas paralelas hacia los muslos, el mirrey que da la espalda a la Torre Eiffel, el mirrey en Beverly Hills, en Nueva York, en Las Vegas. El mirrey entrando a la cámara de bronceado, el mirrey en una alberca privada. El mirrey alcoholizado y una copa alzada para presumir el privilegio. La mujer como decoración del mirrey, igual a cualquier otro accesorio, como la fina bata de baño con la que se pasea dentro de la *suite* presidencial de un hotel de cinco estrellas, como el Maserati rojo con el que llegó al antro, como los lentes oscuros que usa para salir de noche o los pantalones «amarillo McDonald's» con los que acudió a un *cocktail* donde se sirvieron centenas de canapés con hígado de ganso.

Un artículo muy común es una botella de Moët & Chandon que llega a la mesa del mirrey escupiendo fuegos de artificio. El *Mirrreybook* es una pasarela donde desfilan *jets* privados, Ferraris, yates, *suites* y mansiones espectaculares, un escaparate de las marcas mejor cotizadas del planeta. Un culto al torso desnudo del hombre, a sus actitudes y sus puros, a su mirada de perdonavidas; a los bíceps, músculos abdominales y pectorales bien cultivados en el gimnasio. El mirrey es un personaje que en esa colección de imágenes rinde culto a sí mismo: mi foto, mi ropa, mi chica, mi carro, mi dinero. «Yo, mi, me, conmigo». El sujeto en el centro. Freud no atinó a predecir que, en el siglo XXI, la parte más promovida del cuerpo humano sería el ombligo. El rey que soy yo y es mío: *Mi-rey*. Figura absoluta del universo propio, alrededor del cual gira todo lo que me permita alimentar mi narcisismo.

La moda al servicio de mí mismo, igual que mi mujer, mis zapatos, mi cigarro, mi piel bronceada, mi automóvil deportivo, mis viajes, mi chofer, mis guaruras, mi tren de vida: excesivo para la mayoría, pero no para mí. La foto que más aprecio es la de mí mismo, tomada por mi teléfono celular, con mis manos. El otro es una decoración en mi reinado, un accesorio con el que marco distancia y del que dependo al mismo tiempo para ser observado. El verdadero éxito del *Mirrreybook* —con tres «r», porque así debe pronunciarse— fue que democratizó una iconografía gestada dentro de la intimidad de cierta élite mexicana. Abrió las puertas y las ventanas para que el ojo plebeyo se divirtiera con los modos y costumbres de las altas esferas.

El *Mirrreybook* significó un lugar de encuentro para los mirreyes, que no podían perder la oportunidad de mostrarse en ese famoso zoológico, y también para sus críticos, que han acumulado resentimiento, envidia y potentes aspiraciones secretas de ser un día como ellos.

Hay un personaje de la vida pública, un cantante mexicano y español, que sirve como modelo para definir a los mirreyes. Un hombre que hoy se aproxima a los cincuenta años y sin embargo continúa siendo un emblema para las generaciones más jóvenes que lo admiran como varón atractivo, exitoso, a quien la compañía femenina no le implica el más mínimo esfuerzo, que posee una fortuna cuantiosa y con ella pasa la vida en grande. Se trata de Luis Miguel Gallego Basteri, conocido popularmente por sus dos nombres de pila y también por el alias *Luis Mirrey*. Este intérprete vino al mundo con una voz privilegiada y también con atractivo físico. Afirma Luisa María Serna, fundadora de la revista *Quién*, que «nació iluminado». «Es el más mamón, con mucho orgullo», añade Adrián Zurita, el guionista de la película *Nosotros los Nobles*.

El mirrey no puede existir sin su corte y Luis Miguel no es la excepción: a su alrededor circulan los actores Roberto Palazuelos y Jaime Camil, y el hermano del cantante, Alejandro Basteri, entre otros. El mirrey y sus mirreyes, que lo imitan hasta superar al modelo.

Insiste Luisa María Serna: «Ay, Palazuelos... se me hace como el primer mirrey porque Luis Miguel es un cuero, pero sin tratar. Palazuelos sí se trata en la cama de bronceado y se blanquea los dientes. Yo siento que un mirrey es el que le pone mucho esfuerzo [a su imagen]. Hay papás que vienen naranjas y ¡Dios, huele a bronceador! Roberto Palazuelos se trata así, como un mirrey». A Serna sólo le faltó agregar que el personaje tiene aires de Ken, la pareja sentimental de la muñeca Barbie, de Mattel.

En una entrevista con el periódico *Excélsior*, publicada el 7 de octubre de 2012, el actor aludido por Serna advierte: «Yo no soy mirrey, yo soy virrey», y explota en risas. «Para mí [un mirrey] es una persona que tiene un gusto distinguido para vestir, es muy cuidadoso con su físico, con su peinado, con su color de piel, con su alimentación, con su manicura, con su corbata y que pertenece a la alta alcurnia [sic]».

Ahí también precisa su relación con Camil y Luis Miguel: «Siempre nos han relacionado desde chavitos y somos amigos desde la adolescencia, les tengo gran admiración». Al hilo aprovecha Palazuelos para fijar posición sobre su concepto de la mujer: «Si andan detrás de mí es por la personalidad que tengo y porque uno es lo que proyecta... las lobukis no son las novias de los mirreyes, son como las amantes. Las novias son las princesas. Y de verdad yo no tengo muchas novias, sólo tengo una *mirreyna* y esa es mi esposa».

El *Mirreybook* atesora una imagen que pinta de cuerpo entero a este actor de telenovelas. Con la camisa abierta hasta el quinto botón y una piel, en efecto, color naranja, Palazuelos carga, con una sola mano, una botella de champaña de por lo menos diez litros mientras con la otra endereza la copa para brindar; de su pecho depilado asoma un artículo religioso que podría ser un escapulario. Es el retrato de una vida ejemplar, imitada por un grupo creciente de jóvenes que van de los quince a los treinta y cinco años.

Como bien delatan las expresiones de Palazuelos, el mirrey se asume como un ser humano aparte del resto de los mortales. Al menos dos fronteras lo distancian: una que separa a la alta alcurnia de la baja, y otra que distingue entre las amantes, las novias y las mirreynas; el primer muro marca una distinción de clase, y el segundo, de género. El mirrey no sería lo que es si se abstuviera de desigualar en el trato que entrega a sus semejantes. «El iluminado», «el mamón con mucho orgullo», «el virrey» del siglo actual, puede ser porque hay otro que no es.

El mirrey no pertenece a una tribu urbana más: se pretende la tribu elegida, la que se coloca por encima de todas las demás. Su estética y sus placeres, su ostentación a la hora de gastar, su exhibicionismo y su narcisismo suelen tener consecuencias. Es un personaje que intenta volar sobre lo que percibe como un pantano, y en el intento por no manchar su plumaje despoja al otro de su dignidad.

No es tarea sencilla definir al mirrey, prácticamente se puede encontrar una acepción distinta por cada persona interrogada. Con la agudeza y sentido del humor que lo caracterizan, el periodista Alberto Tavira escribió para la publicación digital *Animal Político*: «los mirreyes son una tribu urbana... [que surgió] echando a la licuadora dos heterosexuales, un tecnosexual, un medio de ubersexual y cinco homosexuales... A todos ellos los licuaron con tres [cedés] de Luis Miguel, un litro del autobronceador de

Roberto Palazuelos, dos copas de champaña, dos cucharaditas de Splenda y un clavel rojo de Oscar Wilde... [H]ombres con camisa desabotonada, mínimo hasta donde inicia el vello púbico, que gustan de colgarse rosarios de madera y que cuando van a persignarse comienzan la bendición [diciendo:] "En nombre del Papalord..."».

Tavira, Alazraki y Zurita coinciden en su valoración del personaje. Son esas las características que los dos últimos asignaron a Javi, el personaje principal de *Nosotros los Nobles*: un tipo, ya se dijo, que no parece socialmente amenazante y cuya prepotencia sólo podría implicar un daño para sí mismo. Un mal que, por cierto, puede ser curable, según el mismo filme, si el padre y la sociedad lo ayudan a aprender su lección; a tomar conciencia de su desfase con la realidad.

Una definición próxima es la que mira a este sujeto social del siglo XXI como si fuera el *junior* o el *fresa* de las generaciones anteriores. Un nuevo Pirrurris, como el personaje que el cómico Luis de Alba protagonizó para la televisión nacional durante los años ochenta, o una versión actualizada de Mauricio Garcés, el actor cómico de los años sesenta que vivía de ser galán y zángano a la vez.

De *juniors* y *fresas* ha estado poblada la élite patria; se han escrito historias extraordinarias sobre ellos. Vale aquí recordar la biografía *El Tigre*, que los periodistas Andrew Paxman y Claudia Fernández confeccionaron con esmero para retratar la vida de Emilio Azcárraga Milmo, el hombre más poderoso de los medios mexicanos durante casi tres décadas, o las viñetas que José Joaquín Blanco publicó y luego coleccionó en un libro que lleva por nombre *Un chavo bien helado*. Este escritor, con mirada potente de antropólogo, se inspiró para sus textos en la revista más selecta que se publicó en México, *Town & Country*, donde los padres y los hijos de la clase acomodada solían lucir sus mejores galas y su sonrisa más falsa.

Sin embargo, tales personajes, si bien emparentados, no son lo mismo que el mirrey. Al menos no lo son en un sentido: al *junior* le habría provocado vergüenza ostentar públicamente el poderío económico de su familia, tan sólo porque habría sido juzgado con inclemencia por un régimen político que en la fachada se pretendía revolucionario y garante de la justicia social. No por sus propios controles sicológicos internos, sino por los que la sociedad imponía, el «hijo de papi», que existe en todas partes —el pijo de España, el *spoiled kid* de Estados Unidos, el *huppé* francés—, trataba de guardar dentro de las murallas del palacio la exhibición de su enorme capacidad de compra, de sus excentricidades y sus desmanes.

En contraste, al mirrey contemporáneo lo tiene sin cuidado la ostentación pública. Todavía más, necesita mostrar cuanto sea posible para que el resto de la humanidad se entere de su naturaleza superior. Puede afirmarse aquí que el mirrey es el *junior* sin inhibiciones, sin vergüenza alguna que lo devuelva a la moderación. Es probable que el cambio ocurrido entre una y otra generación lo explique una sociedad que se volvió incapaz de establecer controles sobre su élite más pudiente y la corte que le acompaña.

La prepotencia siempre ha existido pero hoy se hace notoria, lo mismo que la impunidad, la corrupción, la discriminación y la desigualdad; sin embargo, el síntoma de los tiempos es la entrega de garantías para incurrir en todo lo anterior sin pagar costo alguno. Habrá quien piense que la exhibición en redes sociales de los comportamientos *mirreynales* son una suerte de sanción. Pero, como la historia del *Mirrreybook* sugiere, esas mismas redes podrían estar potenciando el hambre de alarde y pompa entre los personajes aludidos.

Cualquier definición que se pretenda construir sobre el mirrey tendrá una dosis grande de subjetividad: cada quien lo observa, o se valora a sí mismo como tal, a partir del mirador que la sociedad entrega para poder hacerlo. Una vez hecha esta advertencia, a continuación dispongo un listado de criterios que permitirían distinguir a un mirrey. Digamos que cada uno de ellos, por separado, no constituye prueba plena porque se requiere la concurrencia del conjunto para caracterizar sin equívoco al objeto de estudio. Una persona que alcance un puntaje de diez en la siguiente clasificación será un mirrey rotundo; en cambio, quien obtenga entre 1 y 5 de calificación, deberá aceptar que es apenas un mirrey en fase de crecimiento.

1. Los mirreyes asumen que su papel en la sociedad deriva de una suerte de orden natural, acaso religioso, de las cosas. Se valoran a sí mismos como una especie humana distinta al resto. No deben ser confundidos, no deben estar al lado de quienes no son gente como ellos; son el resultado de un privilegio que los trasciende y éste no debe ser cuestionado. Nacieron con capacidad innata para estar en la cúspide de la sociedad, para dirigirla y modelarla a partir de su visión del mundo.
2. Su lógica es de clase superior y por tanto se conciben como un estamento que debe permanecer blindado. Entre ellos son amigos «de toda la vida», se casan con «gente bien», «gente como uno», «de toda la confianza», viven en una colonia «decente», van a escuelas donde acuden personas «bien nacidas», viajan a lugares «civilizados», no comparten amistad en Facebook «con cualquiera». Tienen en común una identidad sicológica muy consciente sobre lo que los distancia del resto. Basta recorrer las revistas y los suplementos de sociales para constatar los rasgos, sobre todo físicos, que confirman su pertenencia a un núcleo social y que además se encargan de excluir a los agentes extraños.
3. Los mirreyes utilizan la riqueza económica como el principal marcador de clase. No importa de dónde venga el dinero —trabajo, herencia, hurto, corrupción o lotería—, la clave está en el poder de compra del que se ufana el mirrey. De ahí que exista una gama amplia de mirreyes: nuevo rico, rico venido a menos, de dinero viejo, hijo de político, hijo de empresario, pariente de narco y la lista puede continuar. Salvo muy raras excepciones, la inmensa mayoría obtuvo el pasaporte de ingreso a la élite mexicana por condiciones heredadas.
4. Los mirreyes no saben pasar desapercibidos: suelen utilizar cualquier objeto a su alcance para ostentar estatus social. Entre esos están las mujeres con quienes prefieren retratarse, las botellas de alcohol caro, los relojes de platino colocados alrededor de la manga del saco, las cuentas de antro con cinco y hasta seis cifras, los tres teléfonos celulares sobre la mesa, los viajes que sólo importan para ser presumidos y el resto de la parafernalia que les permite ser vistos ahí donde vayan, no importa que sea la ciudad de México, Monterrey, Houston, Madrid o Saint-Tropez.

5. Los mirreyes valoran positivamente la arrogancia, consideran esa actitud una respuesta lógica de su superioridad moral. El dinero entrega inmunidad para decir cosas desagradables, para tratar de la peor manera, para abusar del otro, y todo esto sin pagar nunca las consecuencias. El mirrey más discriminador suele ganarse el respeto de sus acompañantes. La broma hiriente y el comentario ingenioso diseñado para despreciar nutren las horas de ocio y diversión entre estos personajes.
6. Los mirreyes suelen tener un círculo de choferes, guaruras, niñeras y enfermeras que los rodea como alguna vez abrazó el séquito al noble de la Edad Media; a mayor número de integrantes de la corte, mayor arrogancia despliega el mirrey. La inseguridad física que asuela a ciertas regiones de México ha sido el pretexto perfecto para que la comitiva crezca con los guardias armados hasta los dientes (sin permiso de portación) y las camionetas de ocho cilindros (a despecho del calentamiento global).
7. Otro círculo que suele arropar al mirrey es el de su cortejo de lambiscones, compañeros de juerga a quienes se les paga la cuenta o se les invita a una fiesta faraónica a cambio de celebrar las bromas del personaje o de apartarle un lugar mientras arriba al antro. El mirrey vive convencido de que en esta vida sólo es posible despertar envidia o admiración, y está dispuesto a pagar lo que sea necesario para obtener ambos; de ahí que cualquier crítica a su persona sea descalificada como resentimiento social, y todo halago un acto justificado por su graciosa presencia en este mundo.
8. El mirrey desprecia la cultura del esfuerzo. Si lo único relevante es la fortuna y no importa el método para su obtención, el mérito y el denuedo terminan siendo arrojados por la escalera. Nunca han visitado sus neuronas las razones que legitiman la actual jerarquía social. La inmensa mayoría ya eran ricos al nacer porque alguien distinto a ellos dio el salto necesario; el gran golpe de suerte no fue suyo y sin embargo lo reivindican como propio.
9. Los mirreyes no acuden a la escuela para adquirir conocimientos sino conocidos. Si la cultura del esfuerzo no es relevante, lo único valioso dentro del salón de clases es la posibilidad de fortalecer los lazos con los compañeros de estamento social y con uno que otro individuo eventualmente reclutable para el propio

séquito. A diferencia de otras épocas en que el conocimiento de las ciencias o las artes era requisito para pertenecer a la burguesía, hoy para el mirrey es tiempo perdido invertirlo en cualquier otra expresión de la cultura que no sea la moda o el cine popular estadounidense.

10. Al mirrey le provoca sensación contradictoria el hecho de haber nacido en México. De un lado no duda en pintarse la cara con ungüento tricolor y colocarse sobre la cabeza un sombrero de charro si la Selección Mexicana juega un partido de soccer organizado por la FIFA; al mismo tiempo, por lo bajo rebaten la mala fortuna de pertenecer a un país al que en más de un sentido desprecian por la mayoría de la gente que lo habita. Los mirreyes prefieren lo europeo, la piel blanca, la civilización en inglés; hacen sus compras en Miami, en Nueva York, en Houston y en Madrid. Les gusta viajar porque con ello obtienen un espacio de socialización exclusivo para mirreyes: cada partida es una forma de encerrarse entre personas que ya se conocen. Salir de México, por otra parte, permite refrendar la distancia sideral que existe con los mexicanos que no pueden hacerlo de manera legal.

Los diez puntos arriba citados pueden servir para examinar al sospechoso de ser un mirrey, o si se considera pertinente, también son útiles para analizarse uno mismo. Habrá quien se pregunte si estos criterios son privativos de la élite: conforme uno se pasea por otros rincones de la sociedad mexicana, incluso los más alejados del *penthouse*, es posible hallar conductas similares. En efecto, no son rasgos exclusivos del mirrey la superioridad moral de los valores propios, la desconfianza automática ante lo desconocido, el dinero como marcador social, la necesidad de ostentar, la discriminación, el séquito y la corte, la devaluación del mérito y de la cultura del esfuerzo, el aprecio por el nepotismo o el desdén por la cultura.

Acaso por el razonamiento anterior es que la sociedad termina siendo condescendiente con el comportamiento de los mirreyes: estos personajes reflejan, como espejo magnificador, algo que todos los mexicanos somos; sin embargo, cuando ese mexicano concreto se halla en la cúspide, entonces los síntomas se hacen más notorios. Así como nadie supondría que la punta del iceberg es distinta al resto de su cuerpo, resulta equivocado creer que el último piso de la estructura social es muy diferente a los intermedios o a la planta baja. Desde luego que el mirrey ofende, pero a muchos les enfurece este personaje sólo porque subsiste un interés malsano por ocupar su lugar.

Es hipótesis de este libro que el mirrey debe ser observado no como un síntoma aislado, sino como la principal manifestación de una enfermedad social que hoy recorre a México. Así como en las familias suele suceder que la baja en el rendimiento escolar de uno de los hijos, la agresión de la hija contra los padres, la crisis de nervios de la madre o la depresión del padre terminan siendo manifestaciones de una dinámica que involucra al conjunto familiar, probablemente las expresiones más reprensibles del mirrey son también el síntoma de la dinámica enferma en que nos encontramos la inmensa mayoría de los mexicanos de la presente generación.

No se mira en el panorama a otro sector de la sociedad —ninguna otra tribu urbana, grupo de interés, agente criminal, sector de la política— que represente mejor nuestros vicios más desagradables. El mirrey no está en el margen sino en el corazón de la vida mexicana; ese es el argumento que busco desarrollar en los capítulos siguientes. De ahí que este libro no lleve por título «mirreyes», sino «Mirreynato»: ellos dan nombre a una época, a un régimen moral con grandes repercusiones sobre la vida cotidiana de la mayoría. Si se comprende bien el fenómeno del que los mirreyes son parte sustancial, probablemente sea posible averiguar más sobre los males que aquejan al conjunto.

Insisto, este libro no es sobre los mirreyes sino sobre el régimen que encabezan, sobre las pautas emocionales que los caracterizan, sobre las formas en que se organiza la economía afectiva de la élite y a partir de ello la del resto de la sociedad mexicana, sobre los controles síquicos, familiares, sociales, jurídicos e institucionales que definen hoy en día a México. Este libro quiere explorar, a partir de una revisión del comportamiento exaltado de los individuos más poderosos, así como de su descendencia, los cambios ocurridos en la sociedad mexicana del siglo XXI, donde evidentemente mutaron los patrones de vergüenza e inhibición.

En las páginas siguientes se tratará además de responder a una pregunta inquietante: ¿por qué el tránsito a la democracia electoral en México vino acompañado por una concentración sorprendente de la riqueza y también del poder en unas cuantas manos? Resulta paradójico que el régimen político que, en teoría, aspira a la igualdad de las personas ante la ley, el Estado y la sociedad, sea al mismo tiempo el que, en la práctica, ha derivado hacia un régimen moral orgulloso de la sistemática e injusta asimetría.

El Mirreynato es un régimen moral donde predominan la ostentación, la prepotencia, la impunidad, la corrupción, la discriminación, la desigualdad, el desprecio por la cultura del esfuerzo, el privilegio que otorgan las redes familiares y un pésimo funcionamiento del ascensor social. El Mirreynato es un régimen en el que todos los mexicanos, de alguna manera, participamos. Los capítulos siguientes estarán dedicados a estos síntomas del Mirreynato; los mirreyes serán pretexto y vehículo para aproximarse a cada uno de ellos.

II
Ostentación

«Mi hija mayor me pidió un bolso Louis Vuitton, que vale catorce mil pesos, y no tengo cómo pagarlo», le confiesa Carlota a una amiga. Quedó a cargo de sus hijas cuando descubrió que su marido, un tarambana, llevó durante varios años una doble vida. Su personalidad descosida lo condujo a procrear descendencia con dos mujeres distintas al mismo tiempo; por eso Carlota lo corrió de la casa y al hacerlo tuvo que improvisarse como jefa de familia. A partir de ese momento sus dos hijas la tuvieron sólo a ella para responder por su alimentación, la escuela y un tren de vida elevado que antes del desgraciado descubrimiento financiaba el bígamo proveedor. Carlota tuvo que salir a trabajar por primera vez, se improvisó en varios oficios hasta que logró estabilizar un ingreso mensual de veinte mil pesos. ¿Cómo pagar un bolso Louis Vuitton, cuyo valor representaba dos tercios de lo que ganaba al mes?

Pero la niña insistió. Consciente de que el valor de los objetos va más allá de lo evidente. Sin haber tomado lecciones de semiótica intuyó que los artículos de lujo tienen más de un significado. Si quería continuar perteneciendo al mismo círculo social en el que sus padres la inscribieron durante la infancia, ese bolso le ayudaría a aparentar ante sus amigas que nada había cambiado.

Una o dos generaciones atrás, para la hija de Carlota la separación de sus padres habría implicado una tragedia; por fortuna, la sociedad mexicana ha evolucionado y ser hija de personas divorciadas ya no impone un estigma grave. Pero entre la clase alta aquel prejuicio evolucionó para dar nacimiento a otro igual de injusto: si el divorcio trae aparejada una pérdida en el ingreso, y por tanto un cambio en el nivel de gasto, la comunidad a la que pertenecen los afectados comienza a rechazarlos o, en el mejor de los casos, a tratarlos con condescendencia.

Aquel bolso podía por tanto significar una muralla para protegerse frente al eventual maltrato de sus amigas. Una fachada falsa si se quiere, como los decorados utilizados para filmar películas del oeste, con el objeto de simular «normalidad».

La tarjeta de crédito de Carlota terminó resolviendo el problema gracias a un plan de pagos a doce mensualidades sin intereses: así fue como ese accesorio de catorce mil pesos pasó a formar parte del activo familiar. Justo por esas fechas la chica fue invitada a una fiesta en la residencia de Los Pinos, donde vive el presidente de la República y su familia; la hija de la primera dama organizó una celebración donde ese afortunado artículo de lujo fue estrenado como pasaporte para cruzar fronteras.

Es cosa común que, para cuidar el prestigio, los aventajados de una sociedad necesiten ratificar con su consumo la pertenencia al grupo. El gasto ostentoso sirve para este propósito: su utilidad es confirmar el lugar que se ocupa en la parte más elevada de la pirámide. Le entrega énfasis a la vida propia ante quienes son considerados como iguales o superiores en la escalera social, pero sobre todo frente a los que se hallan colocados escalones más abajo.

La ley del despilfarro ostentoso, como en 1899 la llamó el economista escandinavo Thorstein Veblen, sirve para explicar por qué ciertos personajes enloquecen en su carrera por pertenecer a las altas esferas. Vale aquí decir que en la búsqueda angustiosa por ser considerados, son incapaces de ponerle un alto a su consumo, tanto más si el dinero que poseen no representa un problema en esa agotadora competencia.

El despilfarro ostentoso predomina entre aquellos que suben aprisa la escalera y también entre quienes la descienden de manera precipitada. A esos dos grupos podría añadirse un tercero, el de quienes tienen fobia de ser confundidos con el resto de la sociedad en la que nacieron, y un cuarto: el de los imitadores de los grupos anteriores. El despilfarro ostentoso de los mirreyes mexicanos suele responder a una de estas cuatro causas.

Cuando irrumpen en el espacio público, su presencia no sabe pasar desapercibida. Son síntomas de su ostentación los automóviles grandes afuera del restaurante, los choferes y guardias de seguridad, las cantidades extraordinarias de alcohol, los cuerpos esculturales de las mujeres, las charlas gritonas con que se comunican y el desprecio con que tratan al resto de los mortales.

En el lenguaje de los mirreyes el desafío es ser *cool* y no zombi, adecuado y no extraño, libre y no esclavo, estar *in* y no *out*. Si los zombis son todos idénticos, las personas *cool* no deben serlo, aunque paradójicamente en su intento por diferenciarse terminan todos vistiendo ropa de la misma marca, viajando a los mismos destinos, frecuentando los mismos antros, siendo fotografiados en las mismas revistas de sociales.

¿Quién dijo que la carrera era sencilla? El dilema de los mirreyes radica en que deben parecer *cool,* y al mismo tiempo no es infinito el universo de objetos —joyas, vehículos, vestimenta, *gadgets*— por medio de los cuales son reconocidos por su círculo social.

Al mirrey siempre le faltará cuerpo para ostentar su despilfarro. So pena de hacer el ridículo, no puede usar más de un reloj (bueno, dos) ni portar más de una cartera, ni hacerse seguir por un séquito que sume más de dos o tres carros de guaruras, así que requiere agregar a su existencia otros sujetos sobre los cuales exhibir su riqueza. Entonces gasta por procuración: la esposa, los hijos y la servidumbre son útiles para satisfacer este ánimo. En efecto, la necesidad del mirrey de mostrar su poder económico beneficia a su séquito: las joyas para la mujer, el Maserati para el hijo, los trajes de tela fina para los guardias personales o el uniforme para la trabajadora del hogar son expresiones del gasto por procuración.

El gasto que se hace por cuenta propia o por procuración es un potente marcador social; por tanto, su exhibición es clave si se quiere tomar distancia contra el resto de la humanidad. Este capítulo está dedicado a explorar algunas formas de la ostentación;

o parafraseando a la socióloga mexicana Gina Zabludovsky, los modos que caracterizan y reproducen la dinámica de las relaciones del poder económico en el Mirreynato mexicano.

El dinero

La fotografía forma parte del archivo histórico del *Mirrreybook*. Se mira una mesa grande de comedor, donde ha sido captada más de una docena de pacas formadas por billetes de altas denominaciones; detrás hay un ventanal bien iluminado, probablemente el de un piso amplio de un hotel de playa o un *penthouse* de colonia residencial. Armado con un teléfono celular, un muchacho tomó varias fotos de la escena para compartirlas en sus redes sociales.

Entre los mirreyes mejor enterados de las reglas que rigen la etiqueta se sabe que esa foto está fuera de lugar: el dinero es como el cuerpo, es de mal gusto mostrarlo al desnudo. Si se le quiere ostentar hay que ser sutil, arroparlo, porque de lo contrario puede caerse en la vulgaridad.

Las tarjetas de crédito son una solución para enfrentar ese problema porque no resulta ordinario apilar plásticos dentro de la cartera. Con frecuencia se ve arribar al antro a los jóvenes mirreyes con un plástico negro expedido por American Express colocado sobre la frente, para que el gerente o el cadenero del lugar privilegien su entrada. Las empresas dedicadas al negocio del crédito entienden bien de estatus social y por eso entregan colores distintos a sus clientes: no sólo se trata de la capacidad de pago del potencial deudor sino del lugar que ocupa en la sociedad, el arraigo y la posición significados por el metal con el que se relaciona la tarjeta en cuestión; entre tantas otras las hay de color rubí, esmeralda, plata, oro, grises o negras como el hierro templado. El dinero se traduce, al igual que sucedería en una historia de piratas, con los colores que tienen los metales preciosos.

La mujer

De todos los personajes que rodean al mirrey, acaso la mujer es la que mejor se presta para hacer alarde por procuración. Para efectos plásticos es un objeto, un elemento fundamental de la decoración. En palabras de Luis Buñuel, ella no es sujeto que desea sino objeto del deseo, maniquí donde pueden colgarse las joyas más caras, las telas de moda, el bronceado perfecto. No se viste suntuosamente a la mujer sólo por razón estética sino para que dé prueba, gracias al lujo exhibido, del privilegio social de su proveedor.

Es preferible que la acompañante del mirrey sea discreta; «calladita se ve más bonita», rezaba un viejo adagio que por lo visto no ha pasado de moda. La cultura mexicana todavía guarda una relación ambigua con el sexo femenino. En el presente hay tantas mujeres como hombres en las aulas de educación primaria; 90% de las niñas terminan la formación secundaria contra 84% de los niños, y más personas del sexo femenino concluyen la licenciatura (21%) en comparación con los varones (18%). Sin embargo, dentro de la esfera más encumbrada de la sociedad, el papel de ellas todavía guarda connotaciones antiguas.

Sirva para ilustrar esto el número de julio de 2014 de la revista *Caras*. La pieza principal de esta publicación de sociales fue dedicada a las cincuenta mujeres divorciadas «más guapas» de México. El artículo comienza diciendo: «Divorciarse es una decisión difícil; sin embargo, estas mujeres dieron el paso con valentía. Llenas de experiencia y con mucho que compartir, por ello en esta edición presentamos nuestra lista de bombones que no te puedes perder».

¿Qué criterios utilizó la revista para seleccionar entre tantas mujeres mexicanas divorciadas? El editor podría justificarse asegurando que el juicio fue meramente estético; hizo una curaduría rigurosa de «bombones». Pero otros valores subcutáneos obviamente jugaron también en la decisión: el nombre del padre, del exesposo y la profesión fueron igual de relevantes. Pongamos a manera de ejemplo el pie de foto que se utiliza para introducir a la señora Sofía Aspe Bernal: «hija de Pedro Aspe, se casó con Alonso Quintana Kawage y en 2005 con Alejandro Baillères Gual, con quien tuvo dos hijos. Hace unos años se divorciaron». No se informa en estas líneas que Sofía Aspe es decoradora de interiores y con su oficio ha obtenido respeto. Huelga precisar aquí que Pedro Aspe fue secretario de Hacienda durante el sexenio del presidente Carlos Salinas de Gortari y hoy es todo un rey Midas de los negocios, que Alonso Quintana es director de ICA, la empresa constructora más grande de México, y que Alejandro Baillères es hijo de uno de los cinco hombres más acaudalados del país.

Algo similar sucedió con Sissi Harp, quien es directora de una fundación filantrópica. En la ficha biográfica se aclara que «es hija de Alfredo Harp Helú y estudió contaduría pública en el ITAM. Se casó con Luis Narchi y tiene dos hijas con él. Este año firmaron su divorcio». En el segundo caso, al menos se menciona la formación universitaria de la señora Harp, pero lo relevante continúa siendo el nombre del padre, accionista de Citibank-Banamex, y el del exmarido, un directivo de una firma connotada de mercadotecnia.

Con algo de mayor sinceridad el mensaje editorial de la revista *Caras* podría haber sido: «Bombones que el mercado del matrimonio debe volver a absorber si se toma en consideración la enorme fortuna que un día estas mujeres heredarán».

A estas dos personas se suman otras trece cuyo único distintivo es el nombre de la persona con la que estuvieron casadas o con quien sostienen una relación sentimental en la actualidad. Un ejemplo para ilustrar este perfil es Genoveva Casanova, quien fuera esposa del conde de Salvatierra; o Camila Sodi, cuyo principal atributo es que se trata de la madre de los hijos del actor Diego Luna.

En ese mismo número llama la atención la cifra de mujeres que se desempeñan profesionalmente en el mundo del espectáculo: seis son actrices, cinco modelos, cinco conductoras de televisión y dos son cantantes. Al final queda la lista de profesionistas que aparentemente no viven bajo los reflectores de la fama: una sicóloga infantil, Mariana Cuevas, que además es modelo; una directora de orquesta, Alondra de la Parra, quien fuera nuera del expresidente Ernesto Zedillo; otra es diseñadora de joyas, Paola Saad; una más, Ana Paula Carral, es entrenadora (¿nutrióloga?) en salud y finalmente Mariana Borrego, la única de toda la lista que labora dentro de una oficina, como asesora del director de Pemex.

Suponiendo sin conceder que esta revista hubiese logrado recuperar los modelos más prestigiados de la mujer adulta para México, tendría que concluirse que en el mercado de las relaciones sentimentales pesan más aquellas mujeres dedicadas al espectáculo, las que consiguen un buen marido, las que tuvieron la suerte de contar con un padre económicamente poderoso, y al final las que ejercen una profesión común y corriente. Si uno es mujer (y se divorcia), no sobra preguntarse para qué contar con una sólida formación académica o una trayectoria profesional si el padre, el esposo o el oficio de modelo son valores que dominan por encima de todos los demás.

México sostiene todavía una mirada patriarcal hacia el sexo femenino. Si bien es cierto que algo han avanzado las cosas, también lo es que la mujer distinguida por sus atributos intelectuales no es la que atrae el aplauso más sonoro: sólo 2% de las mujeres mexicanas pueden llamarse a sí mismas empresarias y no más del 7% de ellas se encuentran sentadas en el consejo de administración de alguna empresa. En el terreno de la política, las mujeres que participan en el gabinete presidencial suman apenas 17% del total; en los congresos locales únicamente 22% y en las presidencias municipales apenas 6.8%. En resumen, para el régimen moral del Mirreynato la mujer exitosa es aquella que viste y acompaña al hombre y no la que vale por sí misma, es independiente y laboralmente exitosa.

Con esta hebra de reflexiones es posible comprender por qué a la pareja del mirrey se le designa con el denigrante apelativo de *lobuki*. Se pregunta enfurecida Luisa María Serna, fundadora de la revista *Quién*: «¿Por qué les dicen así? ¿Una loba? ¿La que sale con un güey por interés? ¿La que ya se metió con todos? ¿Cuál es el parámetro?».

Sorprende en efecto que ellas acepten el término *lobuki* sin reclamar, sin ofenderse, sin desear arrancarle los ojos al mirrey que lo pronuncia.

El modelo a seguir de quienes se reconocen en la lobuki es una chica flaca, casi anoréxica, de pelo largo y suelto hasta los hombros. Insiste Luisa María Serna: «Yo creo que las traen de adorno... ahora salen con esta, ahora con la otra, tengo que traer la novia más bonita... ¡Y las chavas no reaccionan!».

No logran todavía renunciar a ser trofeo de otro para poder serlo de sí mismas.

Una galería de imágenes que vale añadir para cerrar esta reflexión es la que publicó precisamente la revista *Quién* el mes de noviembre de 2013, a propósito del viaje a Las Vegas que para despedirse de la soltería se regaló Alessandra Rojo de la Vega, acompañada por cuatro amigas; entre las fotos que ella misma proporcionó a la publicación, la mayoría exhibe al grupo disfrazadas de cabareteras y conejitas de *Playboy*. La ropa entallada que asfixia, el corpiño que sirve para presumir lo que contiene, el pantalón muy corto y las botas de cuero, la lencería extravagante, en fin, un fresco con mucha influencia de la iconografía utilizada en los filmes pornográficos.

En más de un sentido la lobuki es cómplice del mirrey, el objeto que servirá al marido para plantarse socialmente, como antes fue útil para el padre y mañana lo será para los hijos. En la realidad no hay diferencia entre esposa, novia o amante; el mirrey utilizará a cualquiera de ellas para presumirse y luego para presumirla.

La servidumbre

En la Universidad Anáhuac del Norte, de los Legionarios de Cristo, y en la Universidad Iberoamericana, de los jesuitas, existen respectivamente zonas para el estacionamiento de los vehículos ocupados por el personal de seguridad que acude todos los días a cuidar a un número creciente de estudiantes. Ahí abundan las camionetas Ford Expedition Eddie Bauer, de ocho cilindros, y Chevy Suburban de Chevrolet, cuyo valor ronda entre los seiscientos mil y los ochocientos mil pesos.

Dentro de cada una de ellas viajan hombres de complexión grande, casi siempre vestidos con traje oscuro y que portan armas amenazantes como pistolas y metralletas, las cuales, salvo excepciones, son para uso exclusivo del Ejército. Este mismo despliegue puede hallarse afuera de las preparatorias prestigiadas de la ciudad de México y otras poblaciones, lo mismo que en los alrededores de los restaurantes de moda, los antros más concurridos y las fiestas organizadas para celebrar una boda, un bautizo o una primera comunión.

Resulta curioso observar un acompañamiento similar cuando ciertos connacionales viajan fuera del país. En Houston, Miami y San Diego hay idénticos séquitos de guaruras para proteger a algunos mexicanos; se les encuentra sobre todo afuera de los centros comerciales y los clubes de golf. Debe ser mucha la inseguridad que se experimenta también del otro lado de la frontera porque, a pesar del enorme esfuerzo logístico que implica contar con un aparato de seguridad así de grande, estos compatriotas logran replicar allá su comitiva particular.

Incurriendo en un acto de buena fe puede suponerse que se trata de un esfuerzo indispensable: durante la última década la cifra de secuestros ha crecido en México y lo mismo el número de homicidios dolosos. Sin embargo, cabe intuir que esta corte cumple una misión alterna, simbólica y tal vez inadvertida para los propios involucrados: rinde memoria a la imagen medieval del caballero y sus vasallos. Entonces, como ahora, se presupone que el poder del hidalgo (el «hijo de algo», de alguien) depende del número de personas dispuestas a servirle.

Hay a quien le alcanza para contratar un chofer por cada hijo, de ahí que afuera de los colegios privados de mejor fama se mire una larga fila de autos conducidos por profesionales que llevan y traen adolescentes de la escuela a su casa y de su casa a la fiesta; los hay también quienes, además de encargarse del transporte, cargan con la mochila del pobre muchacho fatigado por tanto libro que debe introducir en los salones de clase. Al menos 1 de cada 3 menores de edad que asisten a las escuelas privadas más prestigiosas de la ciudad de México cuentan con un adulto a su servicio todas las horas hábiles del día. Si esta es la circunstancia del hijo que por procuración tiene como deber ostentar la riqueza del padre, no sobra calcular el tamaño del séquito del progenitor.

El mirrey prefiere evitarse el viaje en automóvil si no hay un chofer que le abra la puerta cuando descienda de él, y tampoco soporta trasladarse sin la protección de los guaruras en turno. El número de integrantes de la comitiva no es el único signo del poder; también la corpulencia de los vasallos juega ese papel. Si los choferes y los guaruras son altos y fornidos, transmiten una personalidad militarizada, van afeitados del cráneo y el rostro y vestidos con ropa elegante, entonces el observador habrá de constatar la estampa de un caballero posmoderno muy poderoso, un mirrey a la altura de lo que se espera de él.

El papel del guarura en la calle lo ocupa la trabajadora del hogar dentro de casa. En este caso también el número, la presencia física y las ropas serán señales que, por procuración, hablarán del sujeto contratante. Si la familia tiene una «sirvienta» —como suele referirse despectivamente a las mujeres que hacen tareas domésticas remuneradas dentro del hogar—, su estatus será inferior a otra donde sumen tres, cuatro y hasta ocho trabajadoras.

Argumenta una madre de familia que utiliza esta prestación y que prefirió que me abstuviera de hacer público su nombre: «Hay de dos, la que es parte de la familia y la otra que sí es nada más una sirvienta, "me sirves y ya". Y en los colegios pasa lo mismo, porque pagas para que los niños lleguen acompañados por una "nanita" que los cuide antes, durante y después de la escuela».

Una moda reciente en el Mirreynato mexicano ha sido contratar enfermeras tituladas en vez de niñeras para cuidar a los menores de edad: otorga mayor prestigio que el hijo sea atendido por una persona que estudió durante tres años sobre cuidados relativos a la salud, que una mujer con menor formación. Desde luego que la remuneración a una enfermera suele ser siete o diez veces mayor a la que se entrega a una trabajadora del hogar; sin embargo, hay familias que pueden y quieren pagarla. Las que no, cuentan con un subterfugio ingenioso: visten de enfermeras a sus trabajadoras del hogar, les compran zapatos y ropas claras para que, ya disfrazadas, se confundan con las que sí fueron a la escuela de medicina. Suele ser hilarante asistir a una fiesta infantil de la época mirreynal: mientras los niños y las niñas juegan, a su alrededor hay un ejército de batas blancas que les vigila y persigue para asegurarse de que nada malo les ocurra.

La moda

En mayo de 2012 el periódico *Reforma* exhibió en su primera plana a la exlideresa del magisterio mexicano, Elba Esther Gordillo Morales, por haber llegado a una reunión en la residencia presidencial de Los Pinos —que tenía como propósito negociar un aumento en el salario de los maestros— cargando una bolsa modelo Olympe, de Louis Vuitton, cuyo valor aproximado en el mercado era entonces de cuarenta y cinco mil pesos.

La compulsión de esta política mexicana por los artículos de moda más costosos no es historia que vaya a olvidarse pronto entre la opinión pública; sus incursiones en las tiendas exclusivas de la avenida Masaryk de la ciudad de México o en los centros comerciales de San Diego, California, han trascendido y, sin embargo, no deben ser consideradas una excepción. Otros líderes sindicales y su descendencia exhiben comportamientos similares: se distingue el caso de Paulina Romero, hija del líder de los trabajadores de Pemex, Carlos Romero Deschamps, que también gusta de ostentar lujos y joyas por medio de las redes sociales mientras que su hermano padece una adicción a los automóviles Ferrari.

De una manera extraña, el Mirreynato ha sentado sus reales en la representación laboral. Por ello fue que quien asumió la responsabilidad de defender los intereses de la mayoría del profesorado nacional tuvo la desfachatez de presentarse a negociar por ellos adornada con una bolsa cuyo precio equivale a 346 días del salario de algunos de sus representados.

Sin embargo, no se trata sólo de un acto de frivolidad; para ser respetado, el líder obrero contemporáneo necesita mostrar poder frente a su interlocutor. Ese bolso es una tarjeta de presentación que le permite volverse dueño de la escena. Se trata de un desplante que ordena las jerarquías: el burócrata con el que terminará negociando no gana lo suficiente para como comprarse un artículo de lujo como el referido.

El argumento lo vuelve a ofrecer Veblen: «Hay muchas maneras de anunciar el poder pecuniario, sin embargo la ropa [y los accesorios] tiene[n] una ventaja sobre todas los demás, puede[n] ostentarse en cualquier ocasión y es prácticamente imposible que pase[n] inadvertido[s] ante los ojos del observador». Y añade: «El fantasma de la ópera detrás de la verdad estética [de la moda] es el prestigio social».

Si hasta el Papa en el Vaticano cae en este juego de símbolos de poder ligados al vestuario, ¿por qué una pobre mortal no puede colgarse encima un bolso de cuarenta y cinco mil pesos? Los mejores artículos de la moda serán por tanto aquellos que sirvan como marcadores gracias a que sus letras, diseños, colores y demás fuegos de artificio pueden ser distinguidos a distancia y en todo lugar.

En ciertos círculos el valor social de una mujer puede calcularse también por el vestido que lleva puesto. Durante los últimos tres lustros El Palacio de Hierro, una tienda departamental visitada por las clases media y alta mexicanas, ha promovido una campaña publicitaria que liga la autoestima femenina a la moda y sus marcas. Lo ha hecho con un gran sentido del humor y al mismo tiempo hizo notar que, en México, la inmensa mayoría de las personas del sexo femenino no tiene acceso a la costosa terapia que se ofrece en ese establecimiento.

La moda en ropa y accesorios es un pasaporte fundamental. Ya antes se revisó el episodio de la hija de Carlota y su bolso de catorce mil pesos para explicar el fenómeno, pero las narraciones que prueban esta tesis son infinitas; entre ellas una que ayuda a dimensionar su relevancia es la proliferación de establecimientos donde se rentan, por una sola noche o un fin de semana, vestimenta, cinturones, carteras y otros accesorios. En efecto, si una persona quiere un traje de la marca Hugo Boss o unos pantalones Ermenegildo Zegna, un reloj Gucci o una playera Burberry, unos zapatos Prada o un cinturón Hermès, para aparentar lo que en realidad no tiene, puede acudir a un local especializado, igual a como lo haría si necesitara para una noche especial arrendar un esmoquin, un frac o un disfraz de vampiro para asistir a una fiesta de Halloween.

Algunos de los mexicanos más aventajados evitan hacer sus compras dentro del territorio nacional. Viajan al menos tres veces por año al extranjero para ampliar su guardarropa. Visitan las tiendas más exclusivas de Miami, los *malls* de San Diego y San Antonio, las grandes superficies de Houston, así como las tiendas de barrio de Madrid y París. Para muchos de ellos comprar en México se considera una práctica de una clase social distinta a la suya; si se pasean por alguna tienda departamental con pedigrí explican que es porque les tomó por sorpresa la necesidad de adquirir un regalo o porque de improviso les surgió un evento social para el que no tienen cómo ir adecuadamente vestidos.

La ostentación de modas y marcas no tiene límite. Como ejemplo está la broma que una usuaria mexicana de las redes sociales (@ivacohen) colocó durante una noche de insomnio: «Mientras otros cuentan borreguitos, yo cuento los bolsos Birkin que tengo en mi armario». Cada bolso Birkin cuesta aproximadamente setenta mil pesos.

Automóviles, yates y aviones

Se queja conmigo otra madre entrevistada: «El subsecretario "X" le regaló un Mercedes-Benz a un escuincle de dieciocho años y la sobrina de la primera dama llega a la escuela en una camioneta de la misma marca». En julio de 2013 el periódico *Reforma* publicó la foto de un automóvil Enzo Ferrari, regalo que el líder petrolero Carlos Romero Deschamps hizo a su hijo José Carlos, con valor aproximado de 25 millones de pesos. Sólo existen en el mundo cuatrocientas unidades como esa. El mismo diario afirmó que los obstáculos para adquirir uno de esos vehículos hacen que no cualquiera pueda lograrlo: primero se requiere contar con al menos dos automóviles Ferrari antes de llenar la solicitud. Segundo, hay que demostrar que se posee solvencia económica; tercero, es necesario aprobar una compleja prueba de manejo y, cuarto, el adquirente debe corroborar que cuenta con una agencia automotriz autorizada para dar servicio al vehículo cerca de su domicilio.

Desde las épocas de los egipcios, los griegos o los romanos, el modo de transportarse es uno de los marcadores sociales más eficaces para ostentar el estatus. Mientras el plebeyo llega a la universidad con un Nissan viejo (con un precio de recompra de cuarenta y cinco mil pesos), el mirrey conduce un Porsche Carrera GT, un BMW Coupé o un Cadillac ATS Sedán; el valor aproximado de estas unidades ronda entre 1 y 1.5 millones de pesos. No deja de ser un precio irritante cuando se compara con el ingreso promedio que obtiene la mitad de los trabajadores mexicanos, el cual es de poco más de cuarenta y ocho mil pesos anuales. En otras palabras, para 1 de cada 2 mexicanos en edad de laborar, los automóviles mencionados valen lo mismo que veinte años o 57 600 horas consecutivas de su trabajo.

Los vehículos acuáticos y también los que transportan por aire son signos que aportan distinción. De nuevo tiene objeto mostrar como ejemplo al senador Romero Deschamps, quien posee un yate, llamado *El Indomable*, frente al Boulevard Kukulkán, a un costado de las playas de Cancún, cuyo valor aproximado es de 19.5 millones de pesos; la mitad de los trabajadores del país tendrían que laborar más o menos unos 406 años para poder pagarse un barco como ese. Próximo al yate del senador obrero puede encontrarse el de otro legislador de la cámara alta, Jorge Emilio González, quien antes de contar con la mayoría de edad, gracias a una herencia de su padre, inició su trayectoria profesional como líder del Partido Verde Ecologista de México (PVEM), actividad que le ha consumido la mayor parte de las horas laborales de su existencia.

Quien cuenta con un avión no puede desear más, por lo menos hasta que la compañía Golden Spike comience a ofrecer servicio de transporte a la Luna. Una alumna de la Universidad Iberoamericana me cuenta con lujo de detalle sobre el vuelo *charter* en el que varios de sus compañeros —maestro incluido— viajaron a la península de Baja California para visitar el criadero de ballenas que hay en Guerrero Negro; fue el servicio que un alumno privilegiado hizo al profesor de la clase para que los aprobara a todos con buenas calificaciones en su materia. Como ejemplo final está de nuevo la hija del senador Romero Deschamps, quien se llevó las palmas cuando fue captada volando en su *jet* privado acompañada de sus mascotas, dos perritos ridículos.

Casas en México y en el extranjero

La conversación ocurre en una lancha de motor que explora las aguas del lago de Valle de Bravo, lugar donde por sus residentes de fin de semana se concentra buena parte del PIB nacional. La voz es de un muchacho que apenas ha cruzado la frontera de los veinte años: «Tomás va a hacer una noche de Vegas en su casa para estrenarla. No manches, la casa que construyó su papá va a ser la más chingona de México». El padre de Tomás trabaja para una empresa televisora y, en efecto, el chico que hace la observación no se equivoca: se trata de una de las mansiones más impresionantes de Valle de Bravo.

Al mirrey lo sorprenden las piscinas de veinte metros de largo, las residencias con más de seis mil metros cuadrados de construcción, los jardines que necesitan miles de litros de agua para mantenerse verdes, los muebles traídos de la India, las salas de doscientos mil y trescientos mil pesos.

Otra vez la revista *Quién* permite ilustrar el razonamiento. En enero de 2009 publicó una entrevista con el entonces presidente del Partido Nueva Alianza, Jorge Kahwagi Macari, dedicada a decir bondades sobre su residencia personal. Vale la pena recuperar aquí algunas citas de la publicación, firmada por la periodista Nuria Díaz Masó:

> Sobre un terreno de dos mil metros se edifica una construcción de 5 300 metros cuadrados... Al entrar a la casa se tiene la sensación de estar en un templo hindú con puertas tailandesas, con enormes budas y elefantes de marfil, o que se está en un antro barroco, y es que de repente la atmósfera transporta a una sala *a go-gó* de los sesenta con lámparas Swarovski, cojines Fendi rosados y un libro de David LaChapelle sobre la mesa. Otros escenarios son psicodélicos o tienen un toque más *dark*, como dentro de un castillo antiguo... Hay arte por todos lados, algunas esculturas de Jorge Marín y una de Botero... también obras de artistas contemporáneos como Sara Modiano, Anuar Maauad y Ernesto Cruz Orozco.

Cuenta la misma periodista que por esas fechas este político mexicano organizó una fiesta majestuosa a la que asistieron, entre otros invitados, los hijos del expresidente Ernesto Zedillo, la hija de Vicente Fox, y Emilio Azcárraga, accionista mayor del Grupo Televisa.

En lo que se refiere a casas de mirrey no pueden quedar fuera los arreglos que el actual gobernador del estado de Zacatecas, Miguel Alonso Reyes, mandó hacer a la residencia oficial donde habita con el objeto de que la recámara del mandatario fuera una réplica de la *suite* principal del hotel Bellagio de Las Vegas; el costo de la obra fue de 20 millones de pesos, es decir, diez automóviles BMW Coupé o siete mil horas laboradas por un trabajador mexicano promedio. No sobra aclarar que este gobernador mirrey instruyó que los arreglos se pagaran con cargo al contribuyente, por medio de una partida utilizada por el ayuntamiento de la capital del estado originalmente dedicada al equipamiento urbano.

El deseo por ostentar a partir del lugar de residencia no se limita a México; las mansiones que los mexicanos poseen en el extranjero son ya leyenda. En el barrio de Woodlands, situado a una hora de la ciudad de Houston, Texas, hay un nutrido grupo de familias nacionales autodenominadas «el Club de los Diez», en referencia directa a los 10 millones de dólares que cada una depositó en un banco estadounidense para que el gobierno del país vecino les entregara la visa de residentes a sus integrantes.

Las casas de esta colonia son inmensas y lujosas. Hay familias que han encontrado en Woodlands un buen lugar donde vivir, mientras envían al proveedor del hogar a laborar durante los días hábiles a su país de origen: por avión, la ciudad de México se halla a dos horas y la de Monterrey sólo a una. Hay otros señores que se permiten trabajar desde casa y cruzan la frontera sólo si la circunstancia los obliga. Un tercer tipo de migrante en estos bosques es aquel que pensó en hacer un gran negocio con los texanos pero después de varios fracasos prefirió quedarse quieto un rato; una cuarta especie la conforman aquellos sujetos que evidentemente cuentan con una fortuna importante pero nadie conoce con precisión la manera como la obtuvieron. ¿Quiénes son estos últimos mexicanos? La pregunta no encuentra respuesta rápida. Algunos son familiares de exfuncionarios públicos y también de políticos. Otros podrían ser individuos que andan escapando de la ley. De otro modo, ¿para qué traer guaruras a Houston?

Miami también se ha convertido en un sitio de residencia para mexicanos. Gracias a una investigación periodística fechada en abril de 2013 y que mereció reconocimiento internacional, el reportero Raúl Olmos dio a conocer el predio adquirido por Ernesto Zedillo Velasco, hijo del expresidente mexicano, en la zona residencial de Camp Biscayne, conjunto de once casas rodeado por un inmenso bosque privado, uno de los lugares para vivir con mayor lujo y exclusividad en el estado de Florida. El precio aproximado de la transacción fue de 10 millones de pesos. Entre los vecinos del hijo del expresidente se encuentran Richard Fairbanks, ejecutivo catalogado por la revista *Forbes* entre los diez mejores directivos de empresa en Estados Unidos. Es información pública que Ernesto Zedillo *Jr.* se ha convertido en un prestigiado arquitecto; sin embargo, antes de la investigación que hizo el reportero se desconocía que fuera un hombre con tantos medios económicos.

Otro vecino importante de Miami es Fabián Granier Calles, hijo del exgobernador de Tabasco Andrés Granier Melo, quien hoy se halla tras las rejas por un desfalco calculado en 1 000 millones de pesos a la hacienda pública de su estado. Fabián vive en un condominio residencial en Quantum on the Bay; no muy lejos reside José Carlos Romero, ya antes citado por su Ferrari rojo. Según otra nota de Raúl Olmos, el hijo del dirigente petrolero pagó 97.5 millones de pesos en la compra de dos departamentos situados en la zona de Miami Beach: en total la superficie de esa propiedad roza los mil metros cuadrados de construcción.

La lista de mexicanos que pueden pagarse una vida fastuosa fuera del país es mayor de lo que podría suponerse. Habría que añadir aquí al exgobernador del Estado de México, Arturo Montiel, por los palacios que adquirió en Francia, a Elba Esther

Gordillo, exdirigente del magisterio, por sus propiedades en Coronado Cays, en San Diego, y a tantos otros que poseen propiedades lujosísimas en San Antonio, Dallas, Madrid o Nueva York.

El tema aquí no es reclamarles su situación económica sino lo inexplicable de la ruta que siguieron para obtenerla; no sobra advertir acerca de los vínculos persistentes que algunas historias aquí relatadas tienen con el erario público. En resumen, lo desagradable es la impudicia del origen y la ostentación de la fortuna, no la riqueza en sí misma.

Look narco

Las propiedades fastuosas, los automóviles que cuestan lo mismo que una casa o los carros de guaruras cuyo sueldo podría financiar mensualmente a una pequeña fábrica, lindan tolerantemente con otras formas de exhibición de la riqueza de las que participan los narcotraficantes y sus familias. Todavía pueden consultarse en internet las imágenes que dan testimonio del gusto por ostentar de Alfredo Guzmán, hijo de Joaquín *el Chapo* Guzmán (exlíder del Cártel del Pacífico), y de Serafín Zambada, hijo de Ismael *el Mayo* Zambada (lugarteniente de la misma organización).

La colección de objetos es intrigante: un oso de peluche que carga un AK-47 bañado en oro, un tigre de Bengala recién nacido, fajos de billetes en cantidades extraordinarias, una mujer de largas piernas que en el muslo izquierdo lleva una firma con el nombre «Salazar», accesorios de la marca Louis Vuitton, un Lamborghini negro, otro Lamborghini blanco, una camioneta BMW con interiores rojos, dos cachorros de león, un vehículo todoterreno de la marca Polaris y un Mercedes-Benz blanco.

Revisando estas imágenes puede llegarse a una conclusión: alguien con miedo de ser detenido por la autoridad no sería tan escandaloso. Desde su propio pedestal, los hijos de Guzmán y Zambada han sido también modelos a seguir por otros y, al mismo tiempo, objetos para desplegar —por procuración— el poder de sus progenitores. A esta lista debería sumarse Melissa, una cantante famosa conocida como la Princesa de la Banda o la Princesa Templaria: se trata de la hija de Enrique Plancarte, un líder criminal muerto en enero de 2014, en cuya mansión se hallaron efectos personales de las marcas Chanel y Cartier, presumiblemente de Melissa. Si bien la artista aseguró no haber tenido contacto con su padre desde los quince años, en la vestimenta que utiliza para su espectáculo musical suele incorporar la cruz de los templarios, símbolo religioso que también presume la banda delictiva a la que perteneció el padre.

Entre los mirreyes esta forma de ostentación suele ser rápidamente descartada como ajena: se trata de expresiones propias de los narcos y no de la «gente bien». Sin embargo, la distancia entre las prácticas de unos y otros no es tan grande como se quisiera argumentar. Resulta que, en la carrera por el gasto ostentoso, los símbolos utilizados para alejarse del resto de los mortales se parecen mucho: mismos vehículos, mismas marcas de ropa, mismos desplantes inmobiliarios, misma arrogancia e impudicia.

Es una coincidencia curiosa que una sola letra, la «r», separe a las palabras *naco* y *narco*: la primera designa el supuesto mal gusto de las personas, y la segunda señala a quienes nacieron en la parte baja de la estructura social y, por comerciar con drogas prohibidas, ascendieron vertiginosamente. Puestos a contar grados de separación social, sería sin embargo interesante medir los pocos milímetros que en la realidad apartan al mirrey de esos otros sujetos a los que supuestamente desprecia.

Ocio

Otro signo de estatus social es la ostentación del tiempo libre. En palabras del filósofo y sociólogo francés Jean Baudrillard, el ocio y la superficialidad anuncian la grandeza y la riqueza de la persona que puede permitírselos. A mayor número de horas gastadas en la fiesta, la bebida, la droga o los juegos de apuesta, mayor es la prueba de que no se necesita trabajar para vivir. Lo mismo ocurre con los viajes: se ha convertido en una práctica socorrida recorrer el mundo y exhibirse fotografiado en todas las posibles coordenadas de la geografía mundial a través de las revistas de sociedad o las redes sociales.

Es en este contexto que se entiende la necesidad de bañarse públicamente con champaña en el antro de moda; así se explica también la fotografía de una pista de antro en Saint-Tropez tapizada con botellas vacías de Moët & Chandon previamente consumidas por jóvenes clientes mexicanos. La manifestación de actos exaltados, producto de un consumo intensivo de alcohol y drogas, termina sirviendo para demostrar la abundancia de tiempo libre y la nula necesidad de trabajar para la sobrevivencia económica.

A los cachorros del Mirreynato se les educa desde temprana edad en el arte de viajar. Un ritual muy conocido es el *tour* que hacen los recién graduados de escuelas preparatorias como el Miraflores o los institutos Cumbres e Irlandés por los antros de moda de las principales ciudades europeas: este negocio, regenteado por dos o tres agencias de viajes bien reputadas, logra arrancarle entre ciento cincuenta mil y doscientos mil pesos a cada muchacho a cambio de alojarlos en hoteles de cinco estrellas, conducirlos en limusina a la fiesta de cada noche y ayudarlos a rehidratarse al día siguiente de la parranda. El recorrido más común arranca el 28 de junio en la Feria de San Fermín en Pamplona, España, y continúa por Madrid, Barcelona, París y Londres para concluir en las islas griegas.

Los cónsules mexicanos suelen recibir durante el verano de cada año decenas de llamadas telefónicas de padres con poder en México que les exigen rescatar a sus hijos de las garras de la policía extranjera, que los ha detenido por un desmán o por violaciones a la ley que unas veces son menores, pero otras terminan siendo muy graves. El futuro de la carrera de estos funcionarios del servicio exterior depende de su capacidad para ser discretos: si se revelaran los apellidos de alguno de estos chicos, sus padres podrían ser objeto de un incómodo escándalo en los diarios del país y las consecuencias de ello para el empleado diplomático serían terribles.

Una madre preocupada por esta práctica me asegura haber tenido en su poder una carta de un prestigioso hotel de Madrid prohibiendo explícitamente a su personal volver a hospedar mexicanos después del comportamiento bárbaro que uno de estos grupos de estudiantes mostró durante un viaje de graduación.

¿Por qué los padres están dispuestos a financiar este *tour* dedicado al exceso? La misma mujer alarmada me responde: «Al papá le dicen "estamos en un lugar de siete pisos, en un piso está la música tal y en otro música diferente", y el papá no lo ha vivido nunca, nunca ha hecho un viaje así y seguramente no lo hará; no les alcanza para un viaje [similar] pero al chavo se lo regalan, [así] lo ayudan a consolidar las relaciones de amistad que le [servirán] para el futuro».

Una pieza periodística del diario *Noroeste* que agrega al registro de este fenómeno mostró en abril de 2014 las fotografías de la cuenta de Instagram de Mario López Carlón, hijo del actual gobernador de Sinaloa, donde el muchacho presume sus viajes alrededor del mundo: Nueva York, Milán, París, Las Vegas, La Habana, Venezuela, Colombia y las Bahamas. La sospecha del medio de comunicación denunciante era que tales recorridos se hicieron con recursos públicos, pero el reportaje no logró probar tal hecho.

Otra descendiente de sinaloenses que, inspirada seguramente en Julio Verne, también sintió el impulso por darle la vuelta al mundo en ochenta días es Bárbara Coppel, la hija del empresario hotelero Ernesto Coppel, cuya fortuna se valora en más de 1 000 millones de dólares. Sus viajes no serían objeto de este análisis si no hubiera sido ella misma quien entregó dieciséis fotos de su último viaje de verano para que fueran publicadas por la revista *Quién*: ahí se aprecia a Bárbara con una amiga en Petra, a Bárbara en San Petersburgo, a Bárbara con ropa de playa en las Maldivas, a Bárbara retratada frente al hotel Burj Al Arab de Dubái, a Bárbara en las dunas de Al Maha Desert Resort & Spa, a Bárbara sobrevolando las cataratas del Niágara, a Bárbara vestida de gaucho en Argentina y a Bárbara y su cuerpo atlético en una playa nudista de Miami.

Dos cosas llaman la atención de esta serie de imágenes: primero, la fatigante posibilidad de visitar tantos lugares en sólo un verano. Lo segundo es el efecto de privilegio que esas imágenes proyectan; no hay nada de ilícito en ello, Bárbara nació en una cuna que le permite recorrer el mundo y sin embargo no deja de ser impúdica tanta presunción cuando se proviene de un país en el que 8 de cada 10 mexicanos jamás podrían hacer turismo siquiera en los hoteles de Cancún, Quintana Roo, y mucho menos en Los Cabos, Baja California Sur.

Otra nota de julio de 2013, publicada igualmente en la revista *Quién*, permite seguir bordando sobre el asunto. En este caso se trata del viaje que Sherlyn, una actriz de telenovelas y su novio, el político poblano Gerardo Islas, dieron a conocer por medio de sus cuentas en la red. Así reza el cuerpo de la nota referida: «De todas las parejas que derraman miel en las redes sociales, no cabe duda que la actriz y el político son los que más sorprenden con sus constantes muestras de cariño: "@Sherlyn vamos a escribir nuestra historia", redactó Islas desde Bali, en Indonesia. Ella responde días más tarde: "En la Pequeña China, qué lugar tan mágico y especial, estamos felices!!!". "Te amo @ Sherlyn en #Singapur" (responde el novio)».

La nota informa que «la pareja decidió tomarse unas largas vacaciones luego de finalizar las campañas electorales en el estado de Puebla, en las que Gerardo Islas, acompañado por Sherlyn, apoyó al candidato Tony Gali, quien resultó ganador por la coalición "Puebla Unida" como presidente municipal, campaña en la que Gerardo también contendió a una candidatura en las diputaciones locales».

¿Quién es Gerardo Islas, este político que para descansar de su extenuante oficio puede permitirse unas largas vacaciones con su amada en el continente asiático? Se trata del presidente del Partido Nueva Alianza en el estado de Puebla, que alterna sus negocios políticos con la administración de una empresa constructora que provee jugosos servicios a distintos gobiernos estatales, entre ellos obviamente el de Puebla. Se trata de un prometedor joven del Mirreynato que recientemente rebasó la edad de treinta años.

¿Para qué seguirle? El argumento es uno: en lo que toca a los mirreyes, la exhibición desvergonzada del ocio viajero y el reventón son signos de la actualidad mexicana. Cabe insistir en que no se trata de reclamarles la fortuna económica que poseen sino su ostentación, que tantas dudas despierta a propósito de la legitimidad de las fuentes que les permitieron obtenerla.

Cito aquí un artículo del escritor español Javier Marías, publicado en *El País Semanal* en mayo de 2014, quien con la claridad que lo caracteriza dice las cosas mejor que nadie: «Uno diría que lo que les tocaría a los más ricos del mundo sería: a) no llamar mucho la atención, y menos aún alardear de su exuberancia; b) hacerse "perdonar" sus fortunas, sobre todo los que no las hayan obtenido limpiamente y sin perjudicar a nadie... c) no quejarse de los impuestos que han de pagar... d) no mostrarse nunca despreciativos hacia los menos favorecidos, sino, por el contrario, respetuosos al máximo; e) no pedir "más" de nada, en concreto aplausos».

La necesidad del escaparate y el espectáculo

«Quien se mueve no sale en la foto»; hubo una época en la política mexicana en que se repetía como mantra esta frase esotérica. Había que estarse quieto, ser prudente, dominar las pulsiones que conducen a la exaltación, desplazarse con sigilo. No quiere decir que la historia del siglo XX mexicano haya estado exenta de exabruptos, los hubo y varios. Dieron de qué hablar los desmanes de Maximino Ávila Camacho, hermano del presidente en funciones durante la Segunda Guerra Mundial; también los desplantes de Gonzalo N. Santos, gobernador de San Luis Potosí, y de Carlos Jonguitud, líder del magisterio nacional. Cabe sumar a la lista igualmente los excesos de Arturo *el Negro* Durazo, jefe de la policía de la ciudad de México durante la segunda mitad de los años setenta del siglo pasado, o los de Jorge Hank Rohn, vástago de Carlos Hank González, cuya biografía ha inspirado tantas vocaciones políticas en México a lo largo de los años.

Sin embargo, estas vidas no eran consideradas ejemplares entre los integrantes de la élite económica mexicana. Más bien lo contrario, se les solía calificar como desviaciones nacidas de la corrupción gubernamental; merecían repudio por parte de las publicaciones de la prensa y también por la literatura. Sin embargo, las cosas comenzaron a cambiar a partir de la entrada al nuevo siglo: los mismos que antes hubieran sido exhibidos en la portada de la revista política *Proceso*, hoy son merecedores de grandes desplegados en las revistas de sociales. En los hechos, los personajes corruptos del país comenzaron a ser presentados como modelos a seguir por su despilfarro ostentoso, el lujo que rodea sus vidas, la pompa y el escándalo.

Esta mutación sería inexplicable sin el papel que han jugado durante la última década las publicaciones y también las redes que conectan a tantos millones de personas por medio de internet.

Cuenta Luisa María Serna sobre las dificultades que enfrentó la revista *Quién* cuando por primera vez sus reporteros y editores intentaron penetrar la intimidad de las familias económicamente poderosas. La respuesta fue negativa: los ricos y famosos de México tenían la costumbre de dejarse retratar en eventos públicos y familiares, como bodas, bautizos o fiestas de quince años; sin embargo, todavía en 1999 era una novedad abrirle la puerta a un camarógrafo y a un reportero para que tomaran registro y luego publicaran la vida privada de las personas.

Dice Luisa María que insistieron una y otra vez durante meses hasta que repentinamente los aludidos comenzaron a cambiar de actitud; cuando vieron que la recámara de su vecino, de un amigo o un pariente salía reproducida en *Quién* optaron por correr el riesgo. Después la tarea del editor se hizo más fácil gracias a que la demanda por aparecer creció enormemente.

«La oferta era mostrar mucha foto y poco texto, porque a la gente ya no le gusta leer», me explica la primera editora de esta revista; «una publicación que fuese vistosa para Sanborns, para las tiendas del aeropuerto, para cuando se hace cola en el supermercado». Y aclara: «El fotógrafo es clave, la calidad de la foto y la calidad del diseño, hemos tenido mucha batalla por eso, por el diseño». A Serna le es importante remarcar que no hay dinero detrás de la línea editorial de la revista *Quién*: «No cobramos, y mira que nos hemos topado [con gente que pregunta]: "¿Cuánto me cobras por venir y cubrir mi evento?". Y yo [respondo]: "No, no cobramos"».

Pero otras publicaciones sí lo hacen y ese negocio se ha vuelto muy lucrativo porque a la gente cada día le gusta más exhibir su intimidad.

El ego de quienes aparecen en las publicaciones de sociales se multiplica cuando logra ser imitado. Abunda la editora en este argumento: «Sí, [te permite ser] ejemplo de guapa o ejemplo de "mira, tengo cuarenta años y me veo de veinte y tengo un cuerpazo", "mira mi clóset"... "Pues igual si me dices qué ejercicio hace Alessandra Ambrosio, yo quiero saber qué ejercicio hace porque quiero tener ese cuerpazo, o si no lo tengo idéntico, por lo menos quiero mejorar", entonces siempre hay algo que puedes aprender y copiar o imitar, está padre. A mí me decían: "¿Tú abrirías tu casa?". "Yo, Luisa María, jamás en mi vida". Pero hay gente que le gusta y gracias a que existen es que vivimos nosotros, gracias a que existe gente que te quiere seguir porque le enseñaste tu clóset».

En efecto, la mejor ganancia del exhibicionista es convertirse en referencia para otras vidas. Quien logra que su cuerpo, su rostro, su casa, su automóvil o su fiesta aparezcan publicados en alguna de estas revistas o suplementos —*Club Social* (*Reforma*), *Caras* (Televisa), *Clase* (*El Universal*), *Quién* (Grupo Expansión)— ratifica su pertenencia a la élite mexicana.

Luego estas publicaciones terminan actuando como marcador social que incorpora y excluye a la vez: llaman la atención, en este mismo contexto, los atributos que se definen y refuerzan a propósito del elenco que conforma a las esferas privilegiadas. Tienen un papel importante las convenciones estéticas, pero a éstas es necesario sumar otras que distribuyen consecuencias indeseables; por ejemplo, es difícil encontrar en sus páginas a un personaje de piel morena, o con fenotipo indígena. Sobre este punto abundaré más adelante, en el capítulo dedicado a analizar el tema de la discriminación. Sin embargo, para los propósitos de esta reflexión cabe insistir en la manera en que las publicaciones referidas moldean normas de comportamiento, moda, pertenencia, aceptación y apariencia física.

Pocos años después del éxito experimentado por tales revistas emergió un aparato digital también con enorme potencial para presentar los modos y comportamientos humanos: las redes sociales significan hoy un fenómeno difícil de aquilatar y sin embargo, gracias a ellas es posible conocer de cerca la moral y costumbres de los grupos humanos que interactúan por su mediación.

Cabe decir que sin las revistas de sociedad y las redes sociales sería imposible contar con fuentes tan explícitas sobre el Mirreynato; ambas funcionan como reflectores que alumbran lo que en otra época estaba reservado a muy pocos, y al mismo tiempo son el vehículo de la impudicia que caracteriza al régimen moral analizado en estas páginas. Alientan a que cada quien se pretenda ejemplo para los otros, no importa que se trate de la cantante templaria Melissa, de los hijos del Mayo Zambada o del Chapo Guzmán, del boxeador y político Jorge Kahwagi, del constructor y líder poblano del Panal, Gerardo Islas, o de las esculturales Bárbara Coppel o Alessandra Ambrosio, ahora que la mejor combinación posible para alcanzar gran fama es poseer una cuenta de Twitter o Instagram cuyas fotos después sean publicadas en papel y a todo color por una revista de sociales.

Detrás de esta dinámica exhibicionista hay un argumento aún más interesante. Las vidas ejemplares de hoy, a diferencia de las biografías de los santos de la Iglesia, necesitan del espectáculo, por eso el cruce tan frecuente de personalidades que recorren sin agitarse los círculos del poder económico, la política, la moda, las artes, el *showbusiness*, los deportes y la religión. La vida en el Mirreynato necesita ser histriónica para sobrevivir; se concibe, planea y ejecuta como una producción elaborada y compleja, imita al cine en todo momento. Los más angustiados por pertenecer suelen contratar profesionales especializados en relaciones públicas. Pagan para que sus fotografías sean publicadas, para que su último viaje logre obtener miles de *likes* en Facebook. Hacen lo indecible para ser invitados a las fiestas donde asisten los notables.

En la última instancia del ridículo cabe aquí recordar el hambre de notoriedad con que el diputado Jorge Kahwagi, líder por un tiempo del Partido Nueva Alianza y protegido hasta la ignominia de la exlideresa magisterial Elba Esther Gordillo

—además de boxeador fraudulento—, decidió participar en el programa *Big Brother* (producción de la empresa Televisa) con tal de hacer crecer al máximo posible su fama. Este es el modelo que el Mirreynato promueve y con gran éxito: esa biografía es el resultado de una producción espectacular donde se dieron cita la televisión, la política y el deporte. Todo lo anterior condimentado con una pizca de corrupción, pero este tema habré de guardarlo para más adelante.

Mientras tanto debe retenerse una idea: el espectáculo perfecto es aquel que reúne atributos aportados por círculos sociales diversos. Por eso hoy un político casado con una actriz —como Gerardo Islas con Sherlyn o Manuel *el Güero* Velasco (gobernador constitucional de Chiapas) con Anahí— vale más en su mercado; lo mismo ocurre con una actriz que comparta estelares con un empresario exitoso, como Eva Longoria con José Bastón (presidente de contenidos de Televisa) o Salma Hayek con François-Henri Pinault, uno de los hombres más ricos de Francia.

Bien vale aclarar aquí que, como toda producción eficiente, las personas detrás de las personalidades terminan por importar muy poco. La clave es convertir al sujeto en una marca, dotarlo de discursos capaces de producir impacto y proporcionarle el maquillaje que ayude a ocultar las deformidades; lo fundamental es el concepto y no la materia que le da contenido.

Hay que ver los rituales que dan narrativa al Mirreynato para constatar la fuerza de este argumento: los bautizos, los quince años, las bodas, las fiestas de aniversario y hasta las reuniones infantiles de la élite mexicana requieren de una producción magnífica para impactar a los invitados, para hacerle publicidad a los protagonistas y para provocar envidia entre el resto de la población. Los miembros de las altas esferas de México se casan en la Riviera Maya, Quintana Roo; en Punta Diamante, Guerrero; en Los Cabos, Baja California Sur; en Punta Mita, Jalisco; en el convento de Santo Domingo, en Oaxaca. Siempre los mismos lugares, regularmente con una inversión que supera los cinco mil días de salario de un mexicano común. Todo en tales eventos es material fílmico: el vestido de la novia, los arreglos en las mesas, los zapatos para descansar los pies, el vino y los postres. Ya no se usa aventar la casa por la ventana, en estos tiempos es la familia entera la que se lanza desde el tercer piso de su respectiva residencia.

Movimientos bruscos en la escalera social

A manera de conclusión de este capítulo cabe insistir en que se debe pagar mucho por acceder y mantenerse en la parte más elevada de la escalera. Como ya se dijo antes, hay dos tipos de sujetos que suelen estar más dispuestos que otros a invertir en la producción: los que suben aprisa y también los que descienden con velocidad. A los primeros antes se les llamaba «nuevos ricos», personajes cuya demanda de legitimar una posición social aceleradamente adquirida va de la mano con su imperiosa necesidad de ostentar: los bolsos de marca más caros, los departamentos más lujosos en Miami, las cuentas excedidas de antro o restaurante tienen como trasfondo a quienes descienden de familias que una generación atrás no gozaban de ningún privilegio. Entre ellos sobresalen los políticos, los migrantes, los líderes sindicales y uno que otro individuo dedicado a actividades criminales. Sin embargo, todavía más exhibicionistas que ellos son sus descendientes; al parecer, ante una explicación insuficiente y eventualmente sancionable sobre el origen de la fortuna familiar, los hijos terminan sufriendo una crisis de identidad que trata de resolverse por medio del despilfarro ostentoso.

A los anteriores se suman aquellos que por torpeza, impericia o por una mala jugada de la vida pierden los recursos que financiaban un tren de vida costoso. Antes de quedarse sin nada, estos otros personajes buscan potenciar las afinidades que puedan tener con quienes van en ascenso o con los que permanecen acomodados en la esfera privilegiada: un matrimonio bien logrado, un negocio con un potentado, un buen cargo en la empresa del papá del amigo o un puesto en la alta burocracia nacional pueden ser golpes de suerte que detengan la caída. Pero para conseguirlos hay que invertir también en la producción del espectáculo, pagar cuentas de varios ceros, realizar viajes extravagantes, publicar imágenes de un yate inmenso; todo sirve para seguir perteneciendo mientras la vida retoma su mejor cauce.

El tercer grupo, el de quienes se saben a salvo de la caída, y el cuarto, el de los imitadores, acompañan a los dos anteriores en sus modos de gasto e impudicia: los primeros porque pueden y los segundos porque podrían, si algún milagro llegase a ocurrir. Todos juntos son parte de un mismo régimen moral que no expulsa a nadie, siempre y cuando la persona pueda pagarse todos los días el boleto de pertenencia a la cúspide desde donde se gestiona el régimen mirreynal.

III
Impunidad

Falsedad de declaraciones

«Soy Jorge Rodríguez», declaró ante la autoridad responsable del operativo conocido popularmente como «Alcoholímetro» de la ciudad de México. Quienes atestiguaron los hechos aseguran que el individuo conducía en estado de ebriedad; era sábado por la madrugada y se negó a cooperar con la prueba de alcoholemia. Permaneció pasmado dentro de su automóvil Mercedes-Benz color negro.

Probablemente el senador Jorge Emilio González Martínez no estaba en condiciones de recordar que, de acuerdo con el artículo 311 del Código Penal para el Distrito Federal, quien falte a la verdad en sus declaraciones ante la autoridad debe ser sancionado con una pena que va de los dos a los seis años de prisión y ha de pagar hasta veinte mil pesos de multa.

Su guardia personal intentó rescatarlo de la bochornosa escena ofreciendo dos mil pesos a cada uno de los cuatro funcionarios del orden que habían detenido el vehículo, pero los policías no se dejaron sobornar. Entonces los guaruras del legislador procedieron a probar con la fuerza física: intentaron liberarlo a empellones pero tampoco tuvieron suerte. La policía sujetó al falso Jorge Rodríguez y lo introdujo dentro de una patrulla mientras el ebrio personaje, de cuarenta años —un hombretón al que la prensa todavía llama el Niño Verde—, gritaba enfurecido: «¡No saben con quién se están metiendo!».

No tenían aquellos policías por qué saberlo pero estaban frente al hijo de Jorge González Torres, fundador del Partido Verde Ecologista de México (PVEM). El Niño Verde heredó el liderazgo de esa fuerza política como si se tratara de las acciones de una empresa, gracias a la cual ha obtenido ingresos del erario y fuero público prácticamente durante toda su vida adulta. En 2012 ganó una senaduría por el estado de Quintana Roo mediante una alianza entre el Partido Revolucionario Institucional (PRI) y el PVEM.

Su abogado logró liberarlo unas cuantas horas después porque negarse a la prueba de alcoholemia tiene como consecuencia sólo una sanción administrativa. Resulta sin embargo enojoso que la autoridad haya desestimado acusarlo por falsedad de declaraciones —al haber proporcionado un nombre deliberadamente equivocado a la policía—, acto que según las leyes de la capital constituye un delito.

Al final del episodio el falso Jorge Rodríguez volvió a mentir, pero esta vez frente a los medios. Hizo una promesa solemne: «[El suceso] a mí me deja una experiencia. La falta que cometí fue tomar cuatro tequilas y manejar. Estoy arrepentido totalmente, jamás vuelvo a manejar si tomo».

Años atrás este mismo personaje tan peculiar de la vida pública mexicana fue captado por una cámara de video mientras unos sujetos le ofrecían la nada despreciable cantidad de 2 millones de dólares a cambio de que ayudara a un grupo de desarrolladores inmobiliarios a obtener un permiso de construcción para una obra que, de llevarse a cabo, causaría daño ecológico en las costas de Quintana Roo. Escudado en su apodo, este líder del Partido Verde mexicano confió a los reporteros que había sido víctima de su inexperiencia y que aquellas personas lo habían *chamaqueado*. El episodio no pasó a mayores.

Otro momento coleccionable de su biografía pública ocurrió en 2011 cuando una joven de origen búlgaro, Galina Chankova Chaneva, cayó de una torre de departamentos. La madrugada del domingo 6 de noviembre de ese año, alrededor de las 4 a.m., esa chica de veinticinco años, recién llegada a Cancún, se desplomó más de cincuenta y cinco metros desde el departamento 19 C del edificio Emerald Residential Tower & Spa.

Al escándalo del accidente se sumó la hipótesis que algunos medios divulgaron a propósito de la propiedad del inmueble donde ocurrió la tragedia: se dijo que podría pertenecer a un dirigente político antes mencionado. Una fuente inmobiliaria consultada por el periódico *Reforma* afirmó que el arrendatario del departamento en cuestión era un búlgaro de nombre Danchev Valentinov, empresario dedicado a la promoción turística, quien firmó un contrato con Jorge Emilio González; sin embargo, la oficina del líder del PVEM aseguró que la verdadera dueña del piso era Elizabeth Díaz Ortiz, esposa de Rolando Elías Wismayer, secretario particular del futuro senador. Por el valor de la propiedad —40 millones de pesos—, ronda la sospecha sobre la posibilidad de que Díaz Ortiz fuera en realidad prestanombres del jefe de su marido.

Esa madrugada Jorge Emilio González se divertía en una discoteca de Cancún. Según información que él mismo proporcionó, la mayor parte de la noche no estuvo en ese edificio, adonde más tarde acudiría para pernoctar con su novia. Afirmó haber regresado a la torre Emerald alrededor de las 4 a.m., coincidentemente la misma hora en que la chica búlgara se despeñó desde la ventana.

El médico legista confirmó que Galina Chankova había muerto por lesión encefálica y fractura de cráneo. Los amigos que supuestamente la acompañaron durante las horas previas afirman que estuvo bebiendo y que de un momento a otro perdió los cabales, utilizó un abrecartas para cortarse las muñecas, se lastimó y después corrió y saltó hacia el vacío. Varios testigos corroboraron la historia.

No fue posible conocer las sustancias que habría consumido esta mujer dado que su cuerpo fue incinerado y el reporte del médico forense se extravió, razón por la que los familiares de Chankova sospechan de homicidio y trata de personas; así lo declaró el hermano de la chica búlgara.

Por si esta historia no fuera hasta aquí lo suficientemente extraña, a los hechos anteriores se añade que el personal del Emerald Residential Tower & Spa de turno aquella madrugada fue despedido, y también fueron removidos los agentes del Ministerio Público, así como los funcionarios de la policía responsables de hacer la investigación.

Si Jorge Emilio González Martínez no estaba presente en la fiesta cuando la joven búlgara saltó del balcón, si el accidente no ocurrió en un departamento de su propiedad, si tampoco Jorge Rodríguez —su alias cuando el episodio del Alcoholímetro— conoció a Galina Chankova Chaneva, ¿entonces por qué tanto esfuerzo para esconder evidencia y desaparecer testimonios que podrían haberlo exculpado?

Esta historia no se encontraría en el capítulo dedicado a la impunidad si las anteriores preguntas tuvieran respuesta. La impunidad es un fenómeno al que sólo puede seguírsele el rastro por las sombras que sus autores van reflejando; cuando se le puede coger del brazo para exhibirla de cuerpo entero deja de ser impunidad. El Señor Verde llegó a acusar enfurecido a los medios de estarlo difamando; con todo, no peleó demasiado por limpiar su nombre. Más bien ocurrió lo contrario: el conjunto de hechos confusos hace difícil suponer que no incurrió otra vez en falsedad de declaraciones.

El golpeador de mujeres

«Gerardo Saade [Murillo], golpeador de mujeres. *La violencia contra las mujeres es quizá la más vergonzosa violación de derechos humanos. No conoce límites geográficos, culturales o de riqueza. Mientras continúe no podremos afirmar que hemos realmente avanzado hacia la igualdad, el desarrollo y la paz.* —Kofi Annan».

Este fue el mensaje que Alexia Ímaz subió a internet junto con dos fotografías de su ojo derecho, amoratado por los golpes que le propinara su exnovio; para completar la historia, Manuela, hermana menor de la víctima, escribió en su muro de Facebook: «El cobarde de su exnovio [Gerardo Saade Murillo] se saltó a la casa como delincuente a golpearla mientras dormía. Ayúdanos a detener la violencia contra las mujeres, es un delito. Denunciemos».

Este caso fue famoso porque el victimario es nieto del procurador general de la República, y la víctima es hija del director del Centro de Investigación y Seguridad Nacional (Cisen): dos descendientes directos de la élite política del momento cuya circunstancia afectó la imagen pública de sus respectivos familiares. No resulta sorpresivo que este penoso asunto se haya resuelto también tras el pesado velo de la impunidad.

A pesar de su deseo por exhibir la invasión en propiedad ajena y la violencia contra Alexia, ni la víctima ni su hermana Manuela acudieron ante el Ministerio Público morelense para denunciar. Sin embargo, Gerardo Saade sí visitó la procuraduría local para acusarse por su comportamiento inadecuado y pedir una disculpa, a distancia, a su exnovia agredida.

Con la bendición del procurador morelense, Saade Murillo salió bien librado después de haber cometido dos delitos que le habrían merecido la privación de su libertad: de acuerdo con el artículo 121 del Código Penal para el Estado de Morelos, las lesiones que propinó a Alexia Ímaz, de veintidós años, debieron haberle merecido entre tres y seis meses de prisión o por lo menos de treinta a ciento veinte días de trabajo a favor de su comunidad, a lo que habría que sumar, conforme al artículo 149 del mismo código, privación de la libertad durante un periodo entre diez meses y seis años por introducirse a una casa habitación sin la anuencia de sus habitantes y actuar dentro de ella con violencia.

La circunstancia política del abuelo del golpeador y del padre de la mujer golpeada fue razón para que este muchacho mantuviera su hoja de conducta libre de antecedentes penales, mientras Alexia Ímaz debió tragarse la rabia que seguramente le produjo la desafortunada instrucción familiar.

El extraño caso de un incendio provocado

El primer testimonio es de Santiago Alonso Lugo Carrasco, quien voluntariamente acudió ante el Ministerio Público federal para rendir un testimonio en el que señaló al occiso Carlos Andrés López Meza, alias el Teniente, como responsable del incendio de la guardería ABC de Hermosillo, Sonora. De acuerdo con su dicho, el Teniente le habría ofrecido alrededor de cuatrocientos mil pesos a cambio de desaparecer unos papeles. En un principio no pareció que fuera a hacerse el negocio, pero pasados los días Lugo Carrasco se enteró por las noticias de que había ocurrido un incendio donde fallecieron cuarenta y nueve menores de edad, de entre cinco meses y cinco años. Sesenta días después de aquella espantosa tragedia, Lugo dice haber vuelto a ver al Teniente, con quien fue a cenar unos tacos cuando Carlos Lam, secretario del entonces gobernador de Sonora, Eduardo Bours, llegó a buscarlo al lugar acompañado de otro sujeto apodado el Chore.

Al día siguiente a mediodía, también por los medios de comunicación, Lugo se enteró de que Carlos López Meza, su amigo el Teniente, había sido asesinado, torturado y ejecutado. Tomó de inmediato el teléfono y llamó al tal Chore para obtener mejor información: éste le tomó la llamada con una actitud de distancia frente a lo ocurrido, a pesar de que presuntamente era persona próxima al finado.

Días después Lugo volvió a encontrarse con el Chore, quien, como en un filme de hampones, lo interceptó en la calle y le exigió que subiera a su vehículo. Una vez dentro le dio un golpe con la boca de una pistola Smith & Wesson contra la ceja; con violencia lo interrogó sobre su interés en la muerte de Carlos López Meza: «¿Quién te mandó investigar?», demandó y volvió a propinarle otro doloroso porrazo en el mismo lugar, que ya sangraba. Lugo contestó que su preocupación era meramente amistosa, nadie estaba detrás de su curiosidad. Al parecer el Chore tardó en creer la respuesta porque recurrió varias veces al maltrato. Aquel trago amargo terminó con una última sentencia: «Hay cosas que tú no tienes que averiguar... hay cosas de las que no tienes que saber».

El segundo testimonio lo ofreció otro sujeto, de nombre Aarón Alberto Fierro Ruiz. En él se narra un encuentro íntimo cuatro días después del incendio de la guardería, en el hotel Siglo XXI de la ciudad de Hermosillo, entre el declarante y Carlos Lam Félix, entonces secretario del gobernador. Fierro asegura que Lam era su cliente, ya que ofrece profesionalmente servicios sexuales. Entrada la madrugada, sonó el teléfono celular de Lam; era su jefe, y el testigo informa sobre una conversación que lo habría impresionado mucho. «Alcancé a escuchar y me consta cuando dice: "Si la orden la di en la noche, no en el día; esos pendejos se pasaron de verga", por culpa de ellos se pasó el incendio a la guardería ABC. [Lam], muy preocupado, le dice: "Jefe, no se preocupe, eso lo voy a arreglar"».

Finalmente el tercer testimonio es de Eimy Yuvicela Olivas Díaz, quien fuera pareja sentimental de Carlos Andrés López Meza, el Teniente: como los otros , también acudió a la Procuraduría General de la República (PGR) para rendir testimonio durante los primeros días de enero de 2014.

Ahí contó que el mismo día del incendio de la guardería ABC, el 5 de junio de 2009, recibió una llamada de López Meza para decirle que ese día no saliera de casa, ya que iba a haber movimiento en las calles. Con ella se confesó el Teniente: «Lo del incendio fue un error —repetía y estaba muy alterado— porque el fuego se propagó... Se propagó a la guardería». Eimy Olivas volvió a preguntar y afirma que el Teniente le respondió que «lo que ellos tenían que hacer era quemar el archivo... y el fuego se expandió». Le resultó claro que la orden de incinerar esos documentos, presuntamente alojados en el inmueble contiguo a la guardería —una bodega de la Secretaría de Finanzas del estado—, provino del jefe de su novio, Carlos Lam. Recuerda que su pareja le advirtió que le echarían la culpa de todo y que se sentía muy mal por lo de la guardería; remató mencionando que el PRI perdería las elecciones locales, que ya estaban próximas.

¿Qué hizo la PGR con estos tres testimonios? Según una nota aparecida en el periódico *La Jornada*, un vocero de esa dependencia dijo —nueve meses después de que los testigos rindieran declaración— que no eran material útil para la investigación sobre el incendio ocurrido en la guardería ABC; se desecharon con el argumento de que se trata de testimonios «de oídas» y no de una fuente directa relacionada con los hechos. Probablemente en esa institución hubieran preferido una conversación con Carlos López Meza, el Teniente, para considerar la versión con mayor seriedad, pero para ello habrían tenido que recurrir a un médium espiritista porque el Teniente fue asesinado dos meses después de la tragedia.

Si en el buscador de Google se colocan juntas las palabras «impunidad» y «México», entre las primeras referencias aparecen varias notas periodísticas relativas al incendio de la guardería ABC. Este no es un dato menor: en un país donde existen toneladas de episodios disueltos por el ácido de la impunidad, debe llamar la atención que un expediente sobresalga con respecto a los demás.

La indignación que provoca este caso tiene raíces fuertes. Que las víctimas hayan sido menores de edad es humanamente intolerable: acaso por ello los tres testigos arriba mencionados decidieron arriesgar vida y reputación acudiendo primero a declarar ante el Ministerio Público federal, y cuando la PGR no les hizo caso, optaron por grabar sus testimonios frente a una cámara casera de video para que éstos sirvieran a los padres de los niños muertos en su lucha por obtener justicia.

Vale recordar que al año siguiente de la tragedia la Suprema Corte de Justicia de la Nación (SCJN) emprendió una investigación para ubicar responsabilidades, pero cuando las conclusiones del esfuerzo llegaron al Pleno, la impunidad volvió a triunfar. Los planteamientos del ministro ponente, Arturo Zaldívar, enfrentaron rechazo y crítica injustificados. A pesar de los hallazgos se liberó de cualquier imputación a prácticamente toda la cadena de mando hasta llegar al director general del Instituto Mexicano del Seguro Social (IMSS), institución responsable en última instancia por lo ocurrido en aquella estancia infantil.

Cuando los videos arriba mencionados fueron dados a conocer en septiembre de 2014 por *Reporte Índigo*, medio digital de comunicación, sorprendió de nuevo que la autoridad decidiera mirar hacia otra parte: en cualquier país serio, ese material habría impulsado de nuevo la investigación para perseguir todas las líneas sugeridas por los testimonios. ¿Qué ocurrió realmente con el Teniente? ¿Tuvo algo que ver el secretario del entonces gobernador sonorense, Eduardo Bours, con lo ocurrido en la guardería? ¿Fue Carlos Lam el autor intelectual de aquella tragedia? ¿Tienen alguna veracidad los datos aportados por Santiago Lugo, Aarón Fierro y Eimy Olivas? Los padres de los niños de la guardería ABC merecen una respuesta con respecto a estas pruebas testimoniales que ellos mismos aportaron a la PGR y luego dieron a conocer a los medios, pero no obtendrán respuesta porque la impunidad en México es regla y no excepción.

Sin castigo

La palabra procede del latín, *impunitas*, cuyo significado literal quiere decir «sin castigo», o en un sentido más amplio significa «sin consecuencias». México es un país donde la impunidad es cosa de todos los días. No hay metáfora en ello: según la estadística más confiable, de cada 100 delitos que se cometen sólo se resuelven 2. Es decir, que 98 de ellos permanecen impunes: sin castigo ni consecuencias.

La autoridad suele investigar los delitos menores, de poca cuantía, efectuados regularmente por personas sometidas a una vida de bajo nivel socioeconómico y con pocos años de educación, sobre todo jóvenes que, o bien delinquieron y en flagrancia fueron detenidos por la policía, o confesaron bajo tortura, violencia o extorsión. En sentido contrario, las grandes violaciones a la ley son huérfanas, lo mismo que los actos punibles cometidos por personajes ligados a la política y las élites mexicanas.

Los casos antes citados —el supuesto suicidio de Galina Chankova, la invasión en propiedad ajena y la violencia de Gerardo Saade, o las graves acusaciones contra Carlos *el Teniente* López Maza, Carlos Lam y el exgobernador Eduardo Bours— son sólo algunos ejemplos de los cientos que todos los años son registrados sin consecuencia por los medios de comunicación, o de los miles que ni siquiera ese privilegio logran y terminan arrojados al basurero de la ignominia.

La primera encuesta sobre cultura constitucional que el Instituto de Investigaciones Jurídicas de la UNAM (IIJ-UNAM) publicó en el año de 2004, bajo la coordinación del investigador Hugo Concha Cantú, ofrece una mirada interesante a este respecto: casi 8 de cada 10 mexicanos declaran sentirse desprotegidos frente al abuso de la autoridad, y 2 de cada 5 dicen que no es conveniente reclamarle nada al gobierno porque pueden sufrirse consecuencias indeseadas. Al valorar estas cifras lastiman dos conclusiones: que la voz popular tenga razón y que nada ocurra en México para que las cosas cambien.

¿Quién es el dueño de la justicia mexicana?

La justicia en México es un apéndice de otros poderes más importantes; en concreto, quien controla al gobierno, sus leyes y sus instituciones suele ser quien saca la mejor tajada de la justicia. Cabe aquí distinguir entre dos conceptos que, para nombrar, usan el mismo término: una cosa es la Justicia —con mayúscula—, el valor de juzgar respetando la verdad y otorgando a cada quien lo que le corresponde, y otra muy distinta es el conjunto de actores e instituciones que participan en los procesos relativos a su administración e impartición legal; tomo esta distinción pertinente del jurista peruano Luis Pásara.

En cualquier parte del mundo reconciliar ambos conceptos es tarea difícil; sin embargo, en México se trata de una empresa imposible. En la Encuesta Nacional de Cultura Política (Encup) publicada en 2008 se advierte que 6 de cada 10 personas entrevistadas asumen que en México las leyes se aplican sólo para beneficio de unos cuantos. No sobra aclarar que quienes cuentan con menores ingresos —entre mil y dos mil pesos mensuales— son los que peor opinión tienen sobre el aparato de justicia; en cambio, cuando el sueldo se incrementa por encima de los dieciséis mil pesos al mes, coincidentemente mejora la opinión sobre las instituciones encargadas de aplicar la ley. Mientras mayor comodidad se tenga por el lugar ocupado en el edificio social, la impresión acerca del sistema judicial mexicano mejora.

Entre las quejas más frecuentes están la corrupción y la desigualdad, dos caras de una misma moneda. Frente a un Estado corrupto, los más ricos son los que cuentan con mayor poder para ganar la voluntad de los jueces. La corrupción es una variable que influye en la estructura nacional de la desigualdad; ese será el tema central del próximo capítulo.

Se equivoca quien suponga que la ley o el Estado son neutros frente a las distintas personas que se ven afectadas por su actuación. Como los ejemplos arriba citados dan prueba, el Estado mexicano suele tener preferencias a la hora de tratar a los ciudadanos, por eso es que el control sobre sus instituciones ha provocado batallas encarnizadas.

No es exclusivo de México que la élite intente regir sobre los acuerdos políticos, los nombramientos más significativos, los recursos financieros y los distintos aparatos policiales, ministeriales o jurisdiccionales; gracias a ello el monopolio legítimo de la fuerza, como Max Weber denominó a la tarea fundamental del Estado, será de quienes posean el control frente al resto de la sociedad.

Una vez logrado el monopolio, la disputa violenta entre facciones por adueñarse de los recursos económicos se convierte en otra batalla, más civilizada, cuyo objeto es controlar las instituciones dedicadas a la distribución de esos mismos bienes. En más de un sentido, esa es una de las virtudes de la democracia: transformar la lucha fratricida por el poder en una competencia pacífica por los votos y con ellos los cargos que administran los privilegios y los recursos comunes.

Sin embargo, cada sociedad tiene sus propios métodos a la hora de incluir o excluir de los beneficios que distribuye el Estado; se trata de los mecanismos a partir de los cuales se asignan castigos, se pagan los costos y se precisan responsabilidades. Una sociedad donde sólo unos cuantos son privilegiados por la justicia o, peor aún, donde pocos obtienen todas las prebendas de la organización social, tiende a ser una comunidad inestable y probablemente peligrosa. Es así porque el uso indiscriminado de la violencia gana legitimidad en contra del Estado; sus leyes y sus instituciones terminan siendo percibidas como arbitrarias.

La sobrevivencia de los fueros

Como sucedía en la época de la Colonia mexicana, cuando los virreyes gobernaban, los miembros de cierta élite nacional gozan hoy en México de fueros amplios que los protegen frente a las consecuencias de sus actos y también los blindan con respecto al castigo que merecerían por un comportamiento muchas veces ilegal. México sigue haciendo eco de una larga historia latinoamericana que se fundó retorciendo la ley para favorecer a los poderosos en contra de muchos otros sujetos en circunstancia de vulnerabilidad; los privilegios de los que algunos mirreyes gozan en el presente son en buena medida parte de una herencia que viene de muy atrás.

No debe olvidarse que la corona nunca entregó a los colonizadores de las Américas puestos en el gobierno de la Nueva España por mérito propio, sino a cambio de dinero. En efecto, los cargos del juez o del notario, del gobernador o del adelantado se asignaban mediante una venta; luego, una vez comprada la responsabilidad pública, era muy difícil que la persona beneficiada no actuara como dueña de la institución a su cargo. Desde esta tradición patrimonialista el puesto público es concebido como un espacio privado: es un atributo del patrimonio económico de quien pagó por su asiento y por tanto se espera que éste rinda una ganancia. La actitud frente a tal activo es la misma que podría sostener quien obtuvo la concesión para explotar una mina o un canal de televisión.

Desde esta comprensión de las cosas puede valorarse, por ejemplo, el escándalo que Andrea Benítez, mejor conocida como la Lady Profeco, desató durante el mes de mayo de 2013. Este caso podría ser juzgado como un episodio menor frente al tsunami de prepotencia e impunidad que acosa a México por sus cuatro costados; sin embargo, es un hecho que sirve bien para explicar la visión patrimonialista que los funcionarios y sus familias siguen teniendo, todavía hoy, de las instituciones oficiales mexicanas.

Un viernes de abril de 2013, a las tres de la tarde, arribó la señorita Benítez a un restaurante de la colonia Roma, en la ciudad de México, célebre por su estupenda carta de alimentos y al mismo tiempo por lo difícil que es obtener una mesa para consumirlos dada la gran demanda de los comensales que lo frecuentan. Como esta mujer no consiguió la mesa que deseaba, hizo un escándalo y amenazó a la dueña del restaurante, el Maximo

Bistrot, con que ordenaría a la autoridad cerrar el local. Un par de horas después, tres inspectores de la Procuraduría Federal del Consumidor (Profeco) arribaron al sitio para colocar sellos de clausura argumentando que en ese establecimiento había irregularidades en el sistema de reservaciones «y también en el mezcal que ahí se vende [sic]».

Mientras hacía su trabajo, uno de los inspectores empujó a un comensal, frente a lo cual los demás visitantes reaccionaron con rabia. El episodio concluyó con la expulsión de esos señores del Maximo Bistrot y con una campaña en redes sociales que destruyó la reputación de Andrea Benítez; de su padre, el entonces «dueño» de la Profeco, y de todo el personal de ese organismo que se asumió como empleado no sólo del padre sino también de la hija del señor procurador.

En este caso sí hubo consecuencias. El presidente de la República destituyó al funcionario y el secretario de Gobernación declaró que este episodio debía servir como ejemplo para quien asumiera un cargo administrativo de manera equivocada. No cabe duda de que las redes sociales hacen hoy en día su tarea para combatir los fueros del Mirreynato; con todo, lejos se halla aún el país de haberlos abolido. México continúa teniendo ciudadanos de primera y de quinta categoría, con ciertas gradaciones en medio.

El caso de las dos güeras

El viernes 22 de agosto de 2008 el empresario Alejandro Martí retó a los responsables de la seguridad pública nacional con una frase que hizo leyenda: «Si no pueden, renuncien». El aplauso social que esa consigna despertó entre la opinión pública fue grande: colocó a su autor como una institución moral capaz de calificar con legitimidad el trabajo de los gobernantes.

Una consecuencia inesperada de esa sentencia fue que las autoridades se invirtieron con energía en detener a la banda de criminales que secuestró y asesinó a Fernando Martí, el hijo adolescente del comerciante, porque sabían que quien se llevara el trofeo de la captura vería prosperar su carrera con éxito.

No obstante, una investigación realizada en 2013 por los estudiantes de la maestría en Periodismo del Centro de Investigación y Docencia Económicas (CIDE) —editada por Homero Campa y Carlos Puig, y publicada por la revista *Nexos* el mes de agosto de ese año— dio seguimiento a la aberración que significó que dos grupos distintos, cada uno con su propia güera, fueran procesados por el mismo acto delictivo: la banda de La Flor y la banda de Los Petriciolet.

Con tal de ganarse la buena voluntad del poderoso empresario, la procuraduría local del Distrito Federal, entonces encabezada por Miguel Ángel Mancera, y la Policía Federal, comandada por el agente Luis Cárdenas Palomino, construyeron, cada una de su lado, una versión de los hechos que culpabilizó a personas diferentes por una causa idéntica.

Una güera se llama Lorena González Hernández, la otra María Elena Ontiveros Mendoza. La primera enfrentó la detención y el proceso penal por las acusaciones de un ministerio público local; el expediente de la otra, en cambio, está radicado en un juzgado federal. Lorena asegura que estaba en Acapulco el día del secuestro del joven Martí; María Elena afirma que participó en el plagio aunque argumenta que fue engañada por el jefe de la banda de Los Petriciolet, quien la hizo creer que se trataba de la detención oficial de un narcotraficante.

Los testimonios que inculpan a Lorena son poco sólidos: tres de ellos los ofrecieron personas que se presentaron a declarar con identificaciones falsas, y un cuarto lo dio el guardaespaldas de Fernando Martí, quien salvó la vida durante el secuestro y sin embargo ha incurrido desde el primer día en contradicciones intrigantes. En cambio, las pruebas testimoniales que acusan a la segunda güera, María Elena Ontiveros, son consistentes.

No hay explicación racional que ayude a entender por qué dos jueces, uno federal y otro local, persiguen el mismo delito como si fueran dos acontecimientos distintos. El martes 8 de enero de 2013 la defensa de Lorena González Hernández presentó ante un juez el incidente para reclamar la duplicidad de procesos, con el propósito de que el juzgado federal donde se encuentra radicado el expediente de María Elena Ontiveros unificara ambos casos; con sorpresa, el titular del juzgado cuarto federal determinó que el recurso de Lorena era improcedente.

Cabe aquí decir que varios de los integrantes de ambas bandas, Los Petriciolet y La Flor, eran policías en activo y, cualquiera que haya sido el verdadero grupo de plagiarios, utilizó unidades de servicio para secuestrar a Fernando Martí; esto es, que esas personas abusaron de su puesto, del vehículo oficial a su cargo y de la información de la que como autoridades disponían para celebrar un acto delictivo que, al final, concluyó con un doloroso e injustificable asesinato.

Este incidente deja más lecciones de las que podrían evaluar estas páginas. La primera y más inmediata es la existencia de una competencia política entre Miguel Ángel Mancera y Luis Cárdenas Palomino por demostrar su respectiva eficiencia. Si bien en el caso de las dos güeras pareciera que fue la autoridad del Distrito Federal la que torció los caminos de la verdad, en otros asuntos (como el de la francesa Florence Cassez, también acusada de secuestradora) tocó a Cárdenas Palomino ser el funcionario tramposo.

La segunda lección se relaciona con el perfil de estas y tantas otras bandas de secuestradores que han operado en México durante los últimos diez años: prácticamente todos sus integrantes fueron reclutados entre las filas de la policía, sea federal o local. Es decir, se trata de funcionarios públicos que en sus ratos de ocio se dedican a ser delincuentes; de no ser porque tienen una placa y una pistola entregadas por la autoridad del Estado, no podrían moverse con tal grado de impunidad, eludiendo consecuencias y castigos que otros mortales habrían enfrentado mucho antes y sin contemplaciones.

Los operadores de la ley

En un país con tanta impunidad, los más exitosos son los abogados. Para quienes frecuentan los suplementos y las revistas de sociales, dedicados a ensalzar las virtudes de algunos mexicanos, no es sorpresa enterarse de que los socios de los despachos jurídicos más prestigiados de la nación son clientes frecuentes de sus páginas. Quien puede ganar con certidumbre un proceso judicial en México es aquel que es capaz de pagarse un *turbo-abogado*, que cobra varios cientos de dólares la hora y despacha en los edificios para oficinas más lujosos de las principales ciudades.

Tal y como afirma el jurista Luis Pásara, los abogados con mayor capacidad para influir ante los jueces son aquellos que sirven a las altas esferas, cuyos integrantes pueden pagar sus onerosas facturas. Frente a ellos se encuentra el ciudadano promedio, a quien le es difícil discernir los vericuetos de un sistema de justicia lastrado por la corrupción, la ineficiencia, la lentitud y la impunidad.

Es esta otra parte de la población la que siente gran desconfianza frente al aparato jurídico; cuenta con suficiente información y experiencia como para saber que el Estado, la ley y los medios de comunicación tratan de manera diferenciada, a partir de criterios que normalmente son injustos y arbitrarios. También sabe que en el tema de la justicia no es el azar lo que predomina: quien gana suele ser aquel que pudo comprar su resultado.

El problema más serio es que las instituciones responsables de conducir este sistema —la policía, el Ministerio Público, los jueces o los defensores de oficio— son agentes débiles frente al embate de los hombres poderosos de la política y el dinero. De un lado, al igual que los abogados, estos otros funcionarios bien pueden ser comprados o premiados con grandes cantidades de dinero, o cabe que terminen siendo amedrentados con argumentos como la pérdida del empleo o la venganza contra sus seres queridos.

Un muy mal augurio se anuncia cuando el poder económico, el poder político y el poder mediático se asocian alrededor de intereses particulares. Esa trabazón de estructuras, como la llamó el sociólogo C. Wright Mills, destruye al Estado democrático: no habrá fuerza ciudadana que pueda enfrentarla con facilidad o, peor aún, quien se atreva a hacerlo acabará pagando costos muy altos. Como columna vertebral de esas estructuras suele estar un empleado público que liga las entrañas del Estado con los intereses económicos mejor encumbrados. De nuevo, siguiendo a Mills, se trata del hombre que sirve como lazo entre las camarillas importantes; alguien a quien no debe perderse de vista.

Genaro García Luna, exsecretario de Seguridad durante la gestión de Felipe Calderón, y su segundo hombre en el mando, Luis Cárdenas Palomino, son perfectos ejemplos de ese personaje descrito por Mills, aunque habría que sumar a la lista a varios otros de la generación siguiente. Estos son los funcionarios que responden con celeridad la llamada de un ciudadano empoderado, como Alejandro Martí, pero jamás se aproximarían a la madre plebeya de un hijo abusado sexualmente en la ciudad de Oaxaca. Entienden su papel como empleados de la «gente bien» y desconfían en automático de quienes carecen de posición social y medios económicos; son los garantes de la justicia diferenciada por razones arbitrarias —si se considera la preocupación del conjunto—, pero muy coherentes si se toma en cuenta su lógica individual de poder.

La violencia en los márgenes

Por una circunstancia que deriva del argumento anterior, la violencia en los márgenes de la sociedad es considerada como un expediente menos grave en comparación con la que ocurre en el territorio privilegiado; el argumento es de los investigadores argentinos Javier Auyero y María Fernanda Berti. Los operadores del Estado tienden en automático a tratar de manera diferenciada lo que ocurre en la periferia frente a lo que sucede dentro de las murallas del castillo. La cuestión difícil es, sin embargo, definir con objetividad, en una era en que las ciudades feudales son reliquias del pasado, cuándo se está dentro de la ciudad y cuándo en sus márgenes.

Sirve para ilustrar este punto una portada del diario *Reforma* del mes de marzo de 2014 donde se anuncia que la delincuencia ha desatado sicosis en Valle de Bravo, un municipio del Estado de México poblado por residencias dedicadas al solaz de algunos capitalinos muy pudientes. Más adelante la nota abunda sobre la criminalidad que igual ronda otros poblados próximos como Santa Teresa Tiloxtoc, Colorines, San Juan Atezcapan, Santo Tomás de los Plátanos o Zacazonapan, pero la cabeza del texto no tiene desperdicio: lo grave es que la violencia llegue a «Valle», lugar que, como otros del país, debería estar profilácticamente apartado de la actuación mafiosa porque es tierra favorecida por la élite mexicana.

No hay novedad en esta mirada de las cosas. Cuando la pólvora de la inseguridad ingresó tronante en Monterrey, la mirada más preocupada se posó sobre las lujosas zonas residenciales del cerro de Chipinque, San Pedro Garza García o Santa Catarina, y apenas reparó sobre lo que ocurría en la popular colonia Independencia. En Juárez sucedió igual, las alarmas sonaron furiosas cuando las familias mejor acomodadas abandonaron el Country Club y no diez años antes, cuando se apilaron los cuerpos jóvenes de mujeres en las colonias marginales de Lomas de Poleo o Anapra.

A propósito de este tema, no resulta ocioso revisar la extracción social de aquellos personajes que se volvieron adalides de la lucha contra el secuestro y la violencia durante los últimos tiempos. Cuán poca atención merece todavía hoy el grito de una madre sufriente por la desaparición de su hija en los cerros de Ecatepec, no importa si con toda su fuerza se atreve a lanzar: «¡Si no pueden, renuncien!»; no fue sino hasta que el poeta Javier Sicilia encabezó la primera Caravana por la Paz que otras voces, distintas a las de la élite secuestrable, comenzaron a ser escuchadas por la autoridad y los medios, y sin embargo las cosas han cambiado poco desde entonces.

Los mapas mentales para comprender el problema de la inseguridad en México continúan atrapados por un imaginario elitista que pondera, sin demasiada densidad en la reflexión, el momento en que la violencia rebasó los límites de lo tolerable. Si el joven pobre y con pocos años de educación es asesinado, cuando bien le va obtendrá portada en los tabloides amarillistas junto a un cadáver mutilado y los senos despampanantes de la *vedette* de moda. En cambio, si la persona secuestrada o asesinada nació entre sábanas finas, la buena sociedad leerá sobre su desventura en la primera plana de un periódico caro.

Hasta aquí podría suponerse que el clasismo mediático es responsabilidad principal de los comunicadores. Pero su comportamiento es a su vez consecuencia de otro fenómeno aún más profundo: la arbitrariedad con la que no sólo la sociedad sino también las autoridades distinguen entre las diferentes expresiones de la violencia. Es el Estado, antes que ningún otro actor, quien suele ejercer su imperio de manera ambigua, contradictoria y sobre todo selectiva.

La reacción del mando policial cuando recibe la llamada del empresario enojado porque entraron a su casa y robaron un televisor es diametralmente distinta a la que se produce si una comunidad demanda su presencia porque aparecieron varios cadáveres dentro del ejido. El burócrata sabe que, de no responder con prontitud al reclamo del primero, muy probablemente perderá el empleo; en cambio, poco riesgo profesional habrá para él si trata con negligencia a los segundos.

Otra vez vale escuchar la voz de Auyero y Berti: en los márgenes de la sociedad los ciudadanos son víctimas por partida doble, ya que la colusión entre policía y delincuente es regla y no excepción. En cambio, en la cúspide social la autoridad policial prefiere vincularse con el personaje de la élite; en ello se juega el prestigio, el patrimonio y la sobrevivencia de ambos.

El clasismo con que se vive en México la relación con la ley no es cosa nueva. Viene de lejos la tolerancia para con la violencia que padece «el populacho»; la novedad sería que el Estado y sus operadores abandonaran la selectividad en su actuación. Entonces sí, la violencia no llegaría a Valle de Bravo y tampoco a la colonia Anapra de Ciudad Juárez.

La mejor muestra de la indolencia con respecto a lo que ocurre en los márgenes de la sociedad —frente a la arbitrariedad que arrostra el desposeído— se puede encontrar en las cárceles mexicanas. Tal y como se consigna en el *Reporte sobre la discriminación en México 2012*, llama la atención la homogeneidad observada dentro de los centros de readaptación social, tanto locales como federales, poblados por jóvenes de escasos recursos y bajo nivel educativo. Para ilustrar el punto advierte que 62% de los presos comunes rondan entre 18 y 34 años de edad.

Cabría aquí equivocarse y afirmar que la población joven es la más peligrosa del país: criminalizar, pues, a ese sector de la sociedad cuyo principal denominador común es la edad junto con su pobreza y la falta de oportunidad escolar. Sin embargo, vale explorar otras hipótesis; por ejemplo, revisar la consigna que tienen, tanto la policía como el Ministerio Público, para cumplir con una cuota mensual de detenidos, de la cual depende su bono económico por desempeño. De esta consigna podría derivarse que la autoridad tienda a cazar a quienes viven en los márgenes de la ciudad y comparten circunstancias que los vuelven presas fáciles.

Es el caso del joven que está en la calle tomando una cerveza con los amigos y fumando un cigarro de marihuana, o del muchacho que por primera vez roba en una tienda de conveniencia y lo atrapan en flagrancia; ambos son presas vulnerables para cumplir la meta y obtener el bono mensual. Acaso el desafío sería mayor si se mete a la cárcel a un sujeto con medios para vengarse del policía que actúe en su contra: es obvio que si se apresa a un criminal consolidado, las represalias sobre el agente que incurra en tal osadía pueden ser graves; en cambio, el chico carente de recursos económicos resulta el habitante perfecto de las cárceles. Huelga mencionar que, entre quienes viven dentro de las prisiones, la inmensa mayoría fueron acusados de robo por un monto inferior a los seis mil pesos. Habiendo tanta violencia en México, es extraño que el perfil del criminal común no empate con los líderes de las bandas dedicadas al secuestro, el narcotráfico o el trasiego de armas, sino con jóvenes que hurtaron objetos tales como un encendedor o una pieza de pan en el supermercado.

Percepciones sobre la justicia

La Encuesta Nacional de Cultura Constitucional de 2004 mostró que 8 de cada 10 mexicanos estaban convencidos de que los ingresos de la persona determinan su acceso a la justicia. Diez años después, todas las mediciones corroboran este argumento: la riqueza es decisiva a la hora de definir cómo le va a cada quien en la feria.

Un ejemplo concreto que confirma esta percepción puede encontrarse en los juicios mercantiles, donde 6 de cada 10 deudores mexicanos acuden ante el juez sin contar con un abogado y por lo tanto son derrotados por la parte acusadora. Y es que, como ya se mencionó, para los ciudadanos comunes los servicios que prestan los abogados implican un costo elevado; sólo quienes tienen un patrimonio considerable están dispuestos a pagarlos, entre ellos los bancos, las aseguradoras o las tiendas departamentales.

De acuerdo con el *Reporte sobre la discriminación en México 2012*, 8 de cada 10 delitos cometidos en México no se denuncian ante la autoridad. La principal razón para ello es que la gente piensa que si lo hace perderá el tiempo: es robusta la certeza de que la búsqueda de justicia en los laberintos del Estado implica pasar por un largo, tedioso y difícil túnel burocrático del que probablemente no se salga bien librado, de ahí que las personas acudan ante los tribunales solamente cuando consideran que su asunto tiene probabilidades de éxito, y si no se cuenta con recursos económicos eso quiere decir que no acudirán. Tal percepción mejora, ya se dijo antes, conforme se va ascendiendo en la escalera de la estructura social.

Tienen razón quienes asumen que los plazos del proceso judicial pueden ser muy largos. Los casos arriba expuestos sirven como botón de muestra: el incendio de la guardería ABC lleva cinco años sin resolverse. Con respecto al expediente sobre el secuestro y asesinato de Fernando Martí —a pesar del famoso «Si no pueden, renuncien»—, han pasado seis años de agua bajo el puente sin que se dicte sentencia a alguna de las dos bandas criminales con su respectiva güera. De vuelta a los temas mercantiles, el *Reporte sobre la discriminación en México 2012* afirma también que los juicios relacionados con la ejecución de contratos llegan a tardar entre tres y cinco años en resolverse; sirve como punto de comparación mencionar que en Estados Unidos éstos no suelen tomar más de una semana.

Frente a un ejercicio de la justicia que apenas unos cuantos pueden pagar, la ineficiencia sólo puede ser una desventaja más. Llevan la delantera aquellos que tienen tiempo libre, quienes pueden sostener el gasto de un abogado por periodos prolongados y los que son indiferentes ante una espera larga para recuperar sus bienes o derechos.

La desigualdad y la ineficiencia son variables que llevan a comprender por qué se percibe a las instituciones dedicadas a la justicia como un aparato que responde de manera intermitente y selectiva; a veces funciona y otras no, casi siempre contra unos y a favor de otros. Como bien dice Luis Pásara, «no en todo conflicto sometido a la autoridad judicial intervienen intereses lo suficientemente poderosos como para inclinar la decisión: probablemente, en la mayoría de los casos que conoce la justicia, esta intervención no ocurre debido a su poca relevancia en términos de poder. Pero no es la incidencia cuantitativa del poder lo que importa sino en casos de gran significación».

En efecto, asuntos como el del supuesto suicidio de la búlgara Galina Chankova Chaneva, el del golpeador Gerardo Saade o la guardería ABC, entre otros, dan testimonio de lo sencillo que es para los poderosos eludir el brazo de la ley. Todos ellos confirman la idea de que la impunidad selectiva no ocurre por obra del azar, sino por mediación del poder económico y político ostentado en la sociedad.

Prácticamente todos los operadores del derecho que participan dentro del sistema son responsables de estas percepciones, pero muy en particular la policía, ya que ese eslabón de la cadena es el más próximo al ciudadano de a pie. Conviene aquí revisar su papel y luego contrastarlo con el de los ministerios públicos y los jueces.

La policía discriminada y discriminadora

El video de las Ladies de Polanco fue subido a las redes sociales en agosto de 2011 y muy pronto alcanzó más de un millón de vistas en YouTube. Ahí un par de damas increpan a la autoridad policial con expresiones que quedaron grabadas en la memoria popular: «¡Pinche puto de mierda!», se escucha decir a la primera de las mujeres; «¡Pinche asalariado de mierda!», remata la segunda. Las sentencias son discriminatorias y expresan clasismo y homofobia, largamente arraigados en México y siempre dispuestos a salir a la superficie y exhibirse a todo color.

La historia comienza en una de las esquinas más transitadas de la colonia Polanco, en la ciudad de México; la revisión de un reporte sobre un vehículo enfrentó a los agentes con dos mujeres, evidentemente bebidas, que intentaron evitar cualquier procedimiento. Cuando los ánimos comenzaron a caldearse, uno de los policías aprovechó para grabar con su teléfono celular la desagradable escena.

Los nombres de las mujeres que ahí aparecen son María Vanessa Polo Cajigal y Azalia Ojeda Díaz. La primera, de veintiséis años, hizo estudios en la Universidad de las Américas y en 2004 ganó el concurso Nuestra Belleza Puebla. La trayectoria de la segunda resultaba interesante: ella misma era, al día de los hechos, oficial de seguridad en un cuerpo de guardias dedicados a la protección industrial y bancaria dentro del Estado de México y, al mismo tiempo, contaba con experiencia como cantante en el medio del espectáculo, donde se le conoce como la Negra, circunstancia que la llevó a participar en el programa de televisión *Big Brother*, transmitido durante el año 2002.

Frente a la cámara que las filma, Azalia se aproxima a un policía, toma con sus muy agudas uñas el brazo del hombre y lo gira hacia la lente que da testimonio para que sus facciones salgan en la toma, mientras tanto le grita: «¡Enseña tu carita!». En respuesta el oficial da un paso atrás, intentando zafarse de la manipulación irrespetuosa, y entonces la mujer reacciona golpeándolo en la mejilla; la cabeza con gorra del agente deja por un momento de ser «carita» para convertirse en objeto de su ira.

La autoridad exige que Azalia se detenga. «¡Ya estuvo!», instruye el policía a la agresiva ciudadana. La réplica de Vanessa no se deja esperar: «¡¿Ya estuvo qué?!, ¡¿Ya estuvo quéee?!», implicando que al oficial no le corresponde —al fin «pinche asalariado de mierda»— decidir cuándo se detiene ese pleito. Ella, que está por encima de la persona denigrada, es la única con legitimidad social para definir los límites de la confrontación, por eso lo califica con la palabra «mierda» y para rematar le recuerda que es un empleado sometido a una estructura desigual donde no tiene posibilidad alguna contra los estamentos superiores.

El desagradable episodio concluye cuando la exreina de belleza poblana ordena con voz enronquecida al agente que intentó detenerla: «¡Súbete a tu puta patrulla y chingas a tu puta madre! ¡No te tengo miedo!», y escupe contra sus ropas. No sobra preguntarse por qué esta mujer utilizó tantas veces la palabra «puto» o «puta» para maltratar al agente del orden. Hay quien cree que esos vocablos carecen de connotaciones homófobas o machistas y por tanto no deben ser juzgados como discriminatorios; sin embargo, puestos en el contexto de este video publicado en YouTube es difícil coincidir con esa apreciación.

Aun en el estado etílico en que se encontraban, Azalia y Vanessa tuvieron conciencia de que el agente de policía es el eslabón más despreciado de la larga cadena que reúne a las instituciones de seguridad del Estado mexicano. De entre los distintos operadores del sistema es el que goza de menor confianza: se le percibe como el más susceptible a la corrupción, el menos preparado y, simultáneamente, como la autoridad que con mayor facilidad abusa de las personas. No deja de ser una paradoja que la sociedad mire con tan grave desprecio a los policías, cuando son quienes con mayor frecuencia arriesgan la vida para proteger a la ciudadanía.

La primera explicación frente a estos hechos es que el policía mexicano es víctima de una mirada poderosamente clasista, la cual los valora como sujetos provenientes de los primeros escalones de la estructura social y por tanto, a pesar de su placa, no merecen ser vistos como iguales. En esta circunstancia se entiende muy bien aquella frase de Jorge Emilio González al ser detenido por el operativo Alcoholímetro: «¡No saben con quién se están metiendo!». Quiere decir que los problemas serán grandes para la autoridad insolente cuando se entere del poder que realmente tiene el mirrey; cuando el policía experimente en carne propia la influencia y superioridad de la persona que se atrevió a detener.

Esta reflexión no puede concluir sin observar el otro lado de la moneda. Lo describe bien Juan Pardinas, director del Instituto Mexicano para la Competitividad (IMCO), quien fuera entrevistado para la redacción del *Reporte sobre la discriminación en México 2012*: «La policía en México está en el último lugar de estima y es [al mismo tiempo] uno de los principales sujetos de la discriminación de la estructura social». En otras palabras, se trata de un discriminado con fuerte potencial para ser un sujeto discriminador.

No es difícil comprender la mecánica: después de vivir una prolongada experiencia de sometimiento frente al maltrato de los mandos superiores y del conjunto de la ciudadanía, cuando el Estado entrega al policía fueros y poder ese mismo ser humano replica lo que antes padeció, de ahí que a la hora de ejercer su oficio termine reproduciendo los mismos estigmas y prejuicios. El policía es el primero en maltratar al homosexual, al joven por su apariencia física, al adulto mayor, a la mujer golpeada, a la familia de la chica desaparecida, y con ese mismo discurso desigualador es que presenta a los presuntos culpables ante el Ministerio Público y los juzgados.

Fiscales y jueces en el Mirreynato

El argumento es de la jurista Ana Laura Magaloni: el Ministerio Público es una institución que en México nació con el propósito de imponer control sobre los adversarios políticos y también sobre una ciudadanía rebelde y siempre dispuesta a negociar a partir de su propia desobediencia, por ello es que quien desempeña esta función no se entiende a sí mismo como defensor del pueblo, como abogado de las víctimas, y mucho menos como garante del debido proceso judicial. Autoritario fue el papel del Ministerio Público durante el siglo XX, cuando México no quiso ni pudo ser una democracia respetuosa con los derechos de las personas, y sorprendentemente sigue siendo así después de que el país transitara hacia un régimen plural en lo político y supuestamente basado en las prerrogativas fundamentales del ser humano.

Se trata de una de las instituciones del régimen anterior que sin mayor gracia transitó hacia el gobierno emergente, y ocurrió así porque a quienes conservaron el poder les sigue conviniendo que el Ministerio Público se encargue de controlar, someter y ordenar con criterios políticos. El Ministerio Público cuenta con una de las llaves que abren y cierran la puerta de la impunidad; se trata del agente que modula la selectividad y la intermitencia, la desigualdad y el trato asimétrico de la justicia. Tiene en su mano el monopolio de la acción penal: nadie puede llegar ante un juez si antes el MP no ha investigado los delitos imputados y dio comienzo a una averiguación formal.

El caso de los testigos relacionados con el incendio de la guardería ABC es ilustrativo. ¿Por qué los testimonios de Santiago Alonso Lugo, Aarón Fierro Ruiz y Eimy Yuvicela Olivas fueron desechados de la investigación judicial? La respuesta la tiene el ministerio público federal, un sujeto con nombre y apellido, Mario Zapata Cázares, y cabe que su desinterés por las declaraciones mencionadas no se funde en argumentos jurídicos sino en razones de orden político. A él y sólo a él toca explicar su proceder; si un día en México la Justicia, con mayúscula, gana la partida a las justicias burocráticas, habrá sido principalmente porque se logró reformar al Ministerio Público para convertirlo en una auténtica fiscalía de un régimen democrático.

Ahora bien, el policía abusivo y discriminador y también el ministerio público políticamente influenciable son así porque sobre ellos hay un juez indolente que, en palabras de Emilio Álvarez Icaza —secretario ejecutivo de la Comisión Interamericana de Derechos Humanos—, prefiere impartir legalidad pero no justicia. Dicho en términos más coloquiales, se trata de jueces que dan la espalda al espíritu de las leyes o, peor aún, interpretan mal las leyes para darle la espalda al espíritu de la justicia.

La encuesta nacional sobre cultura de la constitución en México ya citada mostró que, en opinión de 1 de cada 2 mexicanos, los jueces no son independientes a la hora de emitir una sentencia; para la gran mayoría son susceptibles de caer en actos de corrupción, o de someterse a las presiones políticas de sus superiores o de los poderes fácticos que definen la actuación de sus jefes inmediatos.

Ante este escenario confeccionado por percepciones contrarias a la Justicia, no sorprende que el monopolio legítimo de la fuerza en México hace tiempo no sea monopolio ni tampoco legítimo. La fuente principal de la despacificación que el país ha vivido durante los últimos lustros es la impunidad que selectiva, intermitente y arbitrariamente protege los fueros de unos y lastima los derechos de la mayoría. Desde esta mirada de las cosas no puede decirse que la violencia proviene de los márgenes de la sociedad, sino del corazón mismo del poder: la impunidad de que gozan los poderosos es clave para comprender el funcionamiento del régimen mirreynal que por estos días gobierna al país.

La despacificación

El término es de la socióloga mexicana Gina Zabludovsky y remite a los textos de Norbert Elias. Ella argumenta que la civilización y su consecuente pacificación ocurren gracias a los pasos que las sociedades dan para alejarse de la barbarie; por tanto, la marcha inversa, el regreso al caos social violento y sanguinario que llama *despacificación*, ayuda a comprender la creciente inseguridad que el país ha experimentado durante lo que va del siglo XXI.

Cabe proponer que la despacificación reciente se originó cuando en México concluyó el monopolio formal e informal del Poder Ejecutivo sobre los asuntos relacionados con la seguridad y la justicia. Ya se dijo antes, en la mayor parte del siglo XX la policía, el Ministerio Público, los jueces y las cárceles significaron un engranaje dispuesto para hacer política y pocas veces justicia. «A los amigos ley y gracia, a los enemigos la ley a secas», decía un adagio que alguno adjudica a Benito Juárez y que bien podría traducirse a esta época «a secas» como sinónimo de dureza y «gracia» como sinónimo de impunidad.

De ahí que prácticamente todos los asuntos graves durante el régimen de la Revolución se resolvieron lejos de las elegantes oficinas de los jueces; por esta razón es que todavía hoy el juzgador no es valorado como un operador imparcial de la justicia. Tuvieron mano en la solución de los conflictos legales los presidentes de la República que cada seis años ocuparon la oficina más poderosa del país, y también los gobernadores de las entidades federativas, que funcionaron como la última instancia local en los procesos del fuero común.

¿Qué ocurrió con este monopolio del Poder Ejecutivo después del año 2000? Dicen los que saben que peor que el crimen organizado es el crimen desorganizado. En el régimen mirreynal ocurrió que el presidente y los gobernadores perdieron alineación y con ello extraviaron la capacidad para gestionar coherentemente la impunidad del sistema, es decir, que la selectividad e intermitencia con que se tratan ahora los asuntos judiciales, sin haber perdido su naturaleza de impunidad, no tienen hoy un foco definido ni un asiento de poder capaz de fijar alcances y límites.

En otras palabras, ya no hay monopolio de la fuerza sino una distribución asimétrica, injusta, caótica y por momentos aterradora de los castigos y las sanciones. Por ello es que el México mirreynal se presenta como despacificado, y la impunidad tiene mucho que ver con lo ocurrido recientemente: la emergencia de una sociedad donde se han extraviado los límites personales, sociales y políticos que contienen las pulsiones de la barbarie.

Mirreynato sin límites

Cuando interactúa en el espacio público, el ser humano se enfrenta a tres tipos distintos de restricciones: las que su propia conciencia impone, las que la sociedad instruye y a las que el Estado obliga. Cabe afirmar que en el presente mexicano esos tres límites se han erosionado. Como ya se dijo, las instituciones que organizan el poder en el Mirreynato son instrumento privilegiado del más fuerte, se han convertido en el arma arrojadiza que lanzan unos para agredir a los otros; los órganos responsables de la seguridad, la procuración y la administración de justicia son la «plaza» —el territorio en disputa— entre los poderes fácticos legales e ilegales, la pistola con que se disparan las facciones que quieren para sí el monopolio extraviado de la fuerza.

La mejor ilustración de esta circunstancia la expresó en octubre de 2010 Julián Leyzaola, quien fuera secretario de Seguridad en el municipio de Tijuana. Aseguró a la revista *The New Yorker* que cuando se hizo cargo de aquella policía municipal encontró una institución partida en dos bandos: de un lado los integrantes de un cártel criminal y del otro los del cártel opuesto. ¿Cuántos órganos del poder en México replican esta circunstancia no como metáfora, sino como ineluctable realidad?

Junto con el debilitamiento de las instituciones del Estado se vive la flaqueza de las restricciones sociales. No hay en México quien retire el saludo a una persona corrupta si es capaz de ostentar dinero o poder, no importa que el personaje represente las peores formas de impunidad y corrupción nacional; si tiene poder y dinero, las revistas de sociales se pelearán por publicar fotos suyas en bata o en traje de baño, el presidente de la República acudirá a su boda fastuosa en Los Cabos y cabe temer que un día se siente en el gabinete presidencial. A diferencia de aquellos policías quijotescos del Alcoholímetro, la sociedad mirreynal sí sabe con quién está tratando.

Es cierto que las redes sociales pueden servir de contrapeso frente a hechos de impunidad, están los casos de las Ladies de Polanco, la Lady Profeco, el expediente Ímaz-Saade o la viralización de los videos que recogen los testimonios relativos al incendio en la guardería ABC. Puede afirmarse que sin las redes sociales como instrumento de defensa, la impunidad en México sería todavía peor. No obstante, son utilizados sólo como alimento para la indignación, hoguera virtual orquestada por una inquisición que castiga en el terreno de la reputación y la fama pública, pero que pocas veces logra convertirse en sanción legal del Estado.

En el tercer nivel, el que se refiere a lo personal, las cosas no están mejor. Si el ser humano no necesita rendir cuentas a la autoridad y tampoco lo hace ante sus pares, probablemente los mecanismos internos que producen vergüenza, los que gobiernan la ética personal y los valores que se utilizan para ponderar la realidad, igualmente se hallarán erosionados. No es justo aquí generalizar y, sin embargo, sería un error suponer que ante el fracaso de las restricciones y los límites públicos, sobrevive la ética personal; como en un ecosistema, los vicios públicos influyen en las virtudes privadas de quienes conviven en una misma época, comunidad y lugar.

La ausencia de estas tres restricciones —personales, sociales y jurídicas— define al régimen mirreynal. Una época, en efecto, donde predomina la arbitrariedad de las consecuencias y la selectividad de los castigos. No será de otra manera mientras la corrupción pueda hacer tanto en contra de tantos. Ese es el tema del siguiente capítulo: la corrupción.

IV
Corrupción

Nadie se merecería ser tan encantador

A principios de los años ochenta del siglo pasado, *Town & Country*, entonces la reina de las revistas de sociales de la capital mexicana, tenía como personaje consentido de sus páginas al profesor Carlos Hank González. La suya era la fama de un hombre muy exitoso, «rey Midas» de los negocios y también de la política, de tez blanca, alto y seductor y poseedor de maneras imbatibles; al pie de alguna de las imágenes de él publicadas aparecen frases como: «el titán de las industrias del acero y los camiones» o «nadie se merecería ser tan encantador».

Carlos Hank González ha significado durante casi sesenta años un modelo a seguir para muchos mexicanos de la élite política. Fue apreciado por los líderes que lo formaron, como Isidro Fabela y Mariano López Mateos (hermano del presidente), por José López Portillo y Carlos Salinas de Gortari, y hoy sigue siendo referencia para sus herederos del Grupo Atlacomulco.

Sería un error considerarlo un político más en la historia mexicana moderna: su biografía continúa vigente como espejo al que se asoman, para compararse, toneladas de hombres públicos y una que otra mujer. No importa que la suya haya sido una trayectoria construida al amparo de la corrupción: por lo bajo se le excusa porque se presume que en México el éxito político difícilmente le ocurre a quien se aparta de ese vicio. Se cree que quien llega a la cima, como lo logró el profesor, fue aquel que obtuvo poder y riqueza sin manchar su plumaje, a pesar de haber incurrido en el conflicto de interés, la triangulación ilícita de negocios públicos y privados, la asignación interesada de obra pública, las compras gubernamentales fuera de la norma, la venta de plazas, el cambio ilegal del uso de suelo, el intercambio clientelar de favores por votos y la proximidad con algunos criminales.

La frase que mejor identifica al profesor Hank González es aquella de «un político pobre es un pobre político»; se repite tanto que quizá para alguno haya perdido gravedad, pero si se quiere visitar el mapa moral que justifica la corrupción oficial en el México del Mirreynato, es necesario aproximarse a la ruta biográfica de este político mexiquense. ¿Cómo se explica su trayectoria, desde su nacimiento en Santiago Tianguistenco, en una casa humilde, hasta el día en que la revista *Forbes* incluyó su fortuna como una de las más importantes del mundo? ¿De qué manera logró hacer compatibles su oficio político y sus negocios millonarios? ¿Por qué su historia personal es todavía magnética para tantos?

Según las leyendas que rondan esta saga personal, el profesor Hank González padeció la pobreza cuando niño. Fue gracias a una beca del gobierno que logró asistir a la escuela normal, y siendo estudiante se hizo secretario general de la Federación de Jóvenes Revolucionarios del Estado de México, organización afiliada al Partido de la Revolución Mexicana (antecedente del PRI). Corría el año de 1946 y un grupo político encabezado por Miguel Alemán Valdés estaba a punto de llegar a la presidencia de la República: al profesor Hank le tocó mirar, desde su joven trinchera, a un régimen que se había dispuesto a tomar distancia del cardenismo y de varias de las banderas sociales que inspiraron la gesta revolucionaria.

En su novela *Las batallas en el desierto*, el escritor José Emilio Pacheco captura bien el ambiente de la época. La voz es la de un hombre que recuerda su vida infantil durante esa época, cuando se enamoró por primera vez, nada menos que de una mujer cuyo amante formaba parte de la camarilla alemanista: «[Me topé con] varias [fotos] del Señor con el presidente en ceremonias, en inauguraciones, en el Tren Olivo, en el avión *El Mexicano*... El Cachorro de la Revolución y su equipo: los primeros universitarios que gobernaban el país. Técnicos, no políticos. Personalidades morales intachables... [Él era un] poderosísimo amigo íntimo y compañero de banca de Miguel Alemán; el ganador de millones y millones a cada iniciativa del presidente: contratos por todas partes, terrenos en Acapulco, permisos de importación, constructoras, autorizaciones para establecer filiales de compañías norteamericanas; leyes para cubrir todas las azoteas con tinacos de asbesto cancerígeno; reventa de leche en polvo hurtada a los desayunos gratuitos en las escuelas populares, falsificación de vacunas y medicinas, enormes contrabandos de oro y plata, inmensas extensiones compradas a centavos por metro, semanas antes de que anunciaran la carretera o las obras de urbanización que elevarían diez mil veces el valor de aquel suelo; 100 millones de pesos cambiados en dólares y depositados en Suiza el día anterior a la devaluación».

Esta descripción podría ser actual y no obstante refiere al México del medio siglo. Fue durante esos años que el alemanismo dio por enterrada la esperanza que algunos fincaron, durante los sacrificios de la Revolución, de que la política mexicana podía ser un oficio más decente: a lo largo de la historia virreinal de la Nueva España, y también durante el primer siglo del México independiente, abundan anécdotas sobre la baja calidad moral de los gobernantes, la apropiación privada de los bienes públicos y el despojo cometido contra las poblaciones más vulnerables, pero el movimiento revolucionario tuvo como uno de sus motivos el derrocamiento de esa plutocracia abusiva que, durante el porfiriato, sometió al Estado mexicano para que sirviera a los intereses de las fortunas privilegiadas.

Sin embargo, no pasó demasiado tiempo antes de que la corrupción reclutara a los nuevos gobernantes; personajes como Abelardo L. Rodríguez en Tijuana o Aarón Sáenz en Nuevo León dan cuenta de las pulsiones ilegales que recobraron para su beneficio a las instituciones surgidas de aquel movimiento social. No obstante, la verdadera vuelta de tuerca ocurrió con la llegada del primer político civil de la Revolución al poder presidencial: para Miguel Alemán Valdés fue más importante hacer riqueza —sobre todo personal— que garantizar justicia o construir democracia. Él y su grupo de políticos, entre ellos Isidro Fabela (fundador del Grupo Atlacomulco), hicieron escuela y sus enseñanzas han podido trascender hasta nuestros días.

Los valores plutocráticos y patrimonialistas posrevolucionarios encarnaron mejor en algunos personajes. Puede aquí afirmarse que Carlos Hank González fue la creación más acabada del alemanismo y también que asumió como misión transferir a las siguientes generaciones la moral del político millonario como única opción para triunfar en la lucha por el poder. Si su logro se mide por el monto del patrimonio que llegó a amasar en vida, Hank superó con creces a sus mentores: al morir heredó una fortuna de más de 26 000 millones de pesos. Desde su muerte no ha habido otro político mexicano con un balance económico tan impresionante.

Según se cuenta, la fortuna del profesor comenzó a notarse cuando, en los años sesenta, ocupó los cargos de subgerente de ventas y luego fue nombrado por el presidente Gustavo Díaz Ordaz como encargado de la Compañía Nacional de Subsistencias Populares (Conasupo); esta empresa del Estado mexicano tuvo como vocación abastecer y distribuir, a bajo precio, alimentos a las comunidades de menores recursos. Por aquel tiempo el país debía importar grandes cantidades de maíz desde Estados Unidos y para ello se necesitaba contratar vehículos de carga que hicieran el flete hacia las distintas regiones. Muy probablemente de aquella época es otra de las frases célebres del profesor: «La política es una carga muy pesada, pero los fletes son muy buenos».

El ingenioso adagio tenía fundamento. Contó el profesor a alguno de sus subordinados que, siendo funcionario público en la mencionada paraestatal, acudió un día a visitar un banco texano para solicitar un crédito personal con el objeto de adquirir 250 camiones de carga; al parecer ofreció como garantía colateral de pago el contrato que Conasupo firmó con una compañía de transporte particular que, no por azar, era propiedad de Carlos Hank González. Le otorgaron el crédito y el profesor se hizo de los primeros 250 vehículos que le permitirían convertirse en un jugador grande dentro del mercado mexicano de los transportes.

Habrá quien al escuchar esta historia reaccione con admiración, y también el que la valore como un acto injustificable: utilizar dos veces su firma, una como autoridad de gobierno y otra como empresario, implica un conflicto de interés que está penado por las leyes, pero en el contexto de impunidad que aquí se argumenta, como ya se advirtió en el capítulo anterior, ese conflicto suele ser fuente de éxito y no de sanción. Aunque ya antes el profesor era dueño de uno que otro vehículo de carga, el origen de la empresa Grupo Transportes, que hoy tiene peso relevante en el sector dedicado al flete de combustibles, está en esa transacción ocurrida hace más de cincuenta años. (No sobra aquí comentar que, durante la primera década de este siglo, el director general de esa misma compañía, Sergio Padilla, fue acusado de utilizar los vehículos del grupo para transportar combustible robado por los líderes de dos organizaciones criminales conocidas como los Zetas y el Cártel del Golfo.)

Después de ocupar dichos cargos, el profesor Hank González se convirtió en gobernador del Estado de México. De aquellos tiempos datan también sus incursiones como empresario de la construcción: sus empresas Grupo La Nacional y La Peninsular Compañía Constructora brindaron servicios al gobierno de su entidad natal, a la vez que el profesor despachaba como jefe del Poder Ejecutivo mexiquense. Destacan por esos años, según el currículo público de tales compañías, la construcción de los caminos Toluca-Temoaya y Naucalpan, así como diversas obras de electrificación para hospitales del Instituto Mexicano del Seguro Social (IMSS).

En 1976 el profesor Hank fue nombrado por el presidente José López Portillo como jefe del Departamento del Distrito Federal. Con su estilo desenvuelto para hacer negocios, también en la capital del país sus compañías siguieron prosperando: el gobierno de la ciudad encargó a sus constructoras el desazolve de los canales de San Buenaventura, Nacional, Xochimilco y Tláhuac. Tales son las obras reconocidas en la página de internet de esas empresas, pero fuentes periodísticas ulteriores señalan otras operaciones que igualmente multiplicaron el patrimonio del profesor. Alan Riding, por ejemplo, asegura que este político especuló con bienes raíces y rentó sus propios vehículos a las constructoras que participaron en la obra monumental de los ejes viales del Distrito Federal.

Al finalizar el sexenio de López Portillo, el reportero Manuel Buendía dio a conocer la adquisición que el profesor hizo de una mansión gigantesca en Connecticut, Estados Unidos, cuyo muro circundante habría costado a su dueño la nada despreciable cantidad de un millón de dólares; cabe especular a partir de este dato sobre el valor total del inmueble. También corren rumores de que fue Hank González quien regaló al expresidente la residencia donde éste se retiró a vivir durante sus últimos años, un lugar próximo al pueblo de Cuajimalpa apodado desde entonces por los medios de comunicación como la Colina del Perro.

Durante buena parte de los años ochenta, el profesor fue expulsado de la política mexicana porque su corrupta personalidad no encajaba bien con la campaña de renovación moral que emprendió Miguel de la Madrid. Sin embargo, logró sobrevivir: Carlos Salinas de Gortari lo rehabilitó en el año de 1988 y, desde las secretarías de Agricultura y luego de Turismo, Hank González retomó el ritmo en el crecimiento de su patrimonio. Recuerda uno de sus biógrafos, José Martínez, que por aquellos años obligó a los cañeros de Veracruz a comprar camiones a una de sus empresas por un valor aproximado de 400 millones de pesos. También fue capaz de forzar a la industria del autotransporte de pasajeros para que, una vez liberada de la obligación de usar solamente autobuses de las marcas Dina o MASA, las compañías adquirieran unidades Mercedes-Benz, concesión que en México fue propiedad del profesor.

Las anécdotas sobre «las maneras» de este hombre para mezclar política y negocios podrían ocupar un libro entero. Hoy el mejor está firmado por José Martínez y se llama *Las enseñanzas del profesor: Grupo Atlacomulco, de Hank González a Peña*

Nieto. Si se quiere comprender el modelo al que una inmensa mayoría de políticos mexicanos del Mirreynato aspira hoy en día —sin importar el partido o la ideología a que pertenezcan—, este es un texto que merece lectura acuciosa.

La corrupción es un problema cultural

El domingo 24 de agosto de 2014 el director del Fondo de Cultura Económica, José Carreño Carlón, organizó una entrevista colectiva para el presidente Enrique Peña Nieto con la participación de cinco periodistas; la idea era adelantar algunos de los argumentos que el jefe del Ejecutivo ofrecería en su discurso del día 2 de septiembre, a propósito de su Segundo Informe de Gobierno. El momento más interesante de aquel diálogo ocurrió cuando Denise Maerker cuestionó al entrevistado sobre las razones que habían impedido a los partidos mexicanos llegar a un acuerdo sobre las instituciones dedicadas a luchar contra la corrupción.

El presidente respondió así: «El tema de la corrupción lamentablemente es un cáncer social que no es exclusivo de México; lo es, yo creo, de todas las naciones, un tema casi humano, que ha estado en la historia de la humanidad. Y en México se han hecho esfuerzos por que tengamos instituciones que combatan la corrupción y que además aseguren mayor transparencia... [Sin embargo,] mucho de esto tiene que ver con un cambio cultural... La corrupción se alimenta de dos lados: no sólo viene del orden público muchas de las veces, [sino que] otras [es] alimentado desde el orden privado... Es un tema, yo insisto, de orden cultural...».

León Krauze, otro periodista presente en esa mesa, no quiso dejar pasar sin aduana la respuesta presidencial: «Me resisto —dijo— a su lectura sobre el orden cultural de la corrupción». Argumentó que en Estados Unidos habitan más de 13 millones de mexicanos dispuestos a pagar impuestos, a no transgredir las señales de tráfico y a obedecer las leyes; por tanto, la corrupción no habría de ser un asunto relacionado con la cultura de las personas sino con el funcionamiento de las instituciones. En respuesta, el gobernante eludió el razonamiento de Krauze y volvió a repetir que se trataba de «un tema cultural que ha provocado corrupción en todos los ámbitos y órdenes, tanto privado como público».

Al día siguiente de esta entrevista televisada los diarios retomaron el asunto: por ejemplo, el portal de noticias *Animal Político* destacó el episodio con el encabezado «La corrupción es un asunto cultural: EPN». Remite más bien a las lecciones que el catedrático estadounidense Samuel P. Huntington daba a sus alumnos de ciencia política, donde insistía en que debe tenerse cuidado cuando se utiliza la causa cultural para explicar un hecho; solía llamarla «la variable residual». Cuando nada más sirve para comprender, entonces decimos que el problema es cultural y así podemos ir a dormir tranquilos. Es la variable de la pereza intelectual.

La interrogante de León Krauze es interesante: ¿por qué basta que un mexicano cruce la frontera del país para que su comportamiento se vuelva más honesto? Muy probablemente la respuesta no está en el gen cultural al que hizo referencia el mandatario, sino en el tema abordado en el capítulo anterior de este libro: la corrupción es posible en una sociedad donde la impunidad protege a los poderosos frente al castigo, y mientras mayor es el privilegio más grande es la impunidad.

Lo anterior no prejuzga sobre la posibilidad de que la fuente de la corrupción sea privada, pública o responsabilidad de los dos ámbitos, sólo advierte contra la simplificación que lleva a quitarle peso a un tema grave. Acaso, en vez de hablar de una cultura de la corrupción, sería necesario hacerlo de una estructura social que promueve (o inhibe) este fenómeno.

La declaración presidencial provocó un incendio en la opinión pública, sobre todo en las redes sociales, por la voz que la pronunció: a nadie escapa que Enrique Peña Nieto pertenece a la cuarta generación de integrantes del antiguo Grupo Atlacomulco, del cual formaron parte Isidro Fabela, Carlos Hank González y Arturo Montiel, este último, tío del actual presidente y un fiel seguidor de la moral torcida del político que se aprovecha de su puesto en el gobierno para volverse un hombre rico.

No es ocioso preguntar hasta qué punto ostenta hoy el jefe del Estado mexicano la cultura de la corrupción de las generaciones anteriores del Grupo Atlacomulco: aquí ya no se trata de hablar de la cultura general del ser humano o la que eventualmente podrían compartir todos los mexicanos, sino de los valores —o mejor dicho, las valoraciones— que el gobernante en turno hace sobre trayectorias como la de Carlos Hank González y aquellos que han intentado imitarlo durante muchos años.

En la evaluación global acerca de la corrupción de la organización Transparencia Internacional, México se encuentra en el lugar 106 de 175 países analizados: una sociedad muy corrupta. Este estudio observa la opinión que los empresarios y algunos analistas sostienen con respecto al sector público. El resultado es alarmante: en una calificación que va del 1 (corrupto en extremo) al 100 (libre de corrupción), México obtuvo una nota de 34. Vale hablar también de la corrupción en el sector privado, pero primero es necesario esclarecer este punto.

¿Cuánta corrupción hay en México cuando se trata de construir una obra pública? ¿Qué tan deshonestas son las compras por parte del gobierno? ¿En qué costos extralegales caen las empresas que requieren obtener un permiso o una licencia por parte de la autoridad? ¿Cabe que las instituciones responsables de regular la tenencia de la tierra o el uso del suelo sean compradas por los intereses inmobiliarios? ¿Continúan los poderes fácticos, legales e ilegales, manipulando a las autoridades administrativas o judiciales?

La respuesta a estas preguntas es obvia y sin embargo habría sido interesante escuchar una reflexión del presidente que fuera más allá de sus opiniones vagas sobre la cultura mexicana. ¿Rechaza Peña Nieto la tradición alemanista o se asume como su legítimo heredero? ¿Es capaz de juzgar como corrupto a Carlos Hank González, a pesar de la admiración que sigue provocando entre sus compañeros de grupo? ¿Tiene la intención de reformar la estructura de impunidad que permite a los privilegiados apropiarse de los bienes públicos para incorporarlos a su patrimonio personal?

Como respuesta tentativa a estas interrogantes puede revisarse el texto ejecutivo que la Presidencia de la República distribuyó durante el mensaje del Segundo Informe de Gobierno, el 2 de septiembre de 2014; un documento de más de cien páginas donde la palabra *corrupción* aparece mencionada una sola vez. El problema se antoja más alarmante que la atención actualmente otorgada y es difícil asumir que esta circunstancia se debe sólo a una variable cultural.

Corrupción privada vs. corrupción pública

Ofende que pueda compararse la corrupción de quienes se aprovechan en grande de las oportunidades que brinda la estructura social, con la que cometen quienes viven en el sótano de los desposeídos. No es aquí el lugar para mentir afirmando que el ciudadano de a pie es impecable; si no hay sanciones, todos los seres humanos eluden los castigos, no importa que se trate de evitar una multa de tráfico a cambio de un par de billetes ofrecidos a un oficial, o a la secretaria de un juzgado para que adelante el turno en el que la autoridad judicial revisará tal o cual expediente. Debe suponerse que la cultura de la corrupción será tan amplia como la falta de límites, por eso es que no puede estudiarse la corrupción sin su contraparte: la impunidad.

Pero un abismo grande separa al corrupto que tiene un bajo poder de compra de aquel otro que puede comprar una ley en el Congreso, ordenar que se contrate a su empresa o extraer de la tesorería pública varios millones de pesos sin que nada le ocurra; enfurece siquiera la comparación. El problema principal está en los valores que se imponen desde las altas esferas y no en aquellos que han permeado hacia la parte baja del edificio social.

En este contexto es ocioso distinguir entre la corrupción de los funcionarios y en la que incurren los actores del sector privado. Sirva de nuevo el ejemplo del prócer de Santiago Tianguistenco: ¿es posible amonestar al Hank funcionario sin hacerlo con el Hank empresario? ¿Hay una frontera clara que delimite dónde terminan los intereses de uno y de otro? En un país donde la mayoría de las grandes fortunas nacionales se han construido al amparo del gobierno, resulta estéril lanzar de un lado a otro la pelota de la responsabilidad sobre los actos de corrupción.

Para corroborar el argumento vale la pena observar el origen de las fortunas mexicanas que la revista *Forbes* consideró en 2014 como las más importantes. Las tres principales nacieron gracias a una concesión entregada por el Estado: Carlos Slim (Telmex), Germán Larrea (transporte) y Alberto Baillères (minas); ninguno de ellos innovó en alguna tecnología, inventó un producto o un servicio nuevo. Su riqueza se debió en un momento dado a las buenas relaciones que tuvieron con el gobernante que les entregó la concesión originaria.

En el Mirreynato resulta un mal augurio no dedicarse al mismo tiempo a la política y a la empresa privada, y la corrupción es fuente prioritaria para obtener ingresos en ambos lados de esa frontera deteriorada. Los políticos quieren ser ricos lo más pronto posible, y los empresarios necesitan comprar políticos para crecer su margen de influencia sobre el Estado; acaso por ello se han multiplicado en México los despachos de cabilderos, gestores muy bien pagados que, a nombre de los poderes económicos más significativos, manipulan los resultados de la deliberación parlamentaria, de la toma de decisiones dentro de la administración y de las sentencias al interior de los juzgados.

Desde luego que no es justo incluir a todos los políticos y todos los empresarios en este molde, muchos de ellos no juegan con la lógica del Mirreynato y precisamente por ello la importancia de la pregunta que hizo aquel domingo el periodista León Krauze: «¿De qué lado se coloca cada quien con respecto al fenómeno de la corrupción?». O todavía más fuerte: ¿el actual gobierno sería capaz de abjurar contra la cultura política de su comunidad de origen, el Grupo Atlacomulco?

De cachorros de la Revolución a mirreyes contemporáneos

¿Qué párrafos escribiría hoy José Emilio Pacheco si volviera a redactar *Las batallas en el desierto*? Quizá sus apreciaciones sobre el alemanismo lo habrían llevado a concluir que la corrupción de finales de los años cuarenta del siglo pasado era un tanto cándida: los contratos de entonces eran pequeños por su monto, comparados con los del presente; la venta irregular de leche en polvo, una bobada si se contrasta con las licitaciones perversas que hoy se hacen para repartir suplementos alimentarios entre los pobladores más pobres; el monto de los contratos de obra en Acapulco, una bicoca frente a proyectos como el del Nuevo Aeropuerto Internacional de la Ciudad de México, y la especulación inmobiliaria de aquella época, una partida tonta de Turista Mundial con respecto a los negocios que en el presente se están gestando.

El México de los cachorros de la Revolución quedó atrás; se lo llevó el fin de siglo. La diferencia estriba en que Hank González ya no resulta un personaje solitario entre muchos otros, hay que decir con resignación que su modelo se democratizó porque el PRI extravió el monopolio de los políticos abusivos y corruptos: con la pluralidad de colores en los gobiernos locales, la llegada del Partido Acción Nacional a la presidencia y del Partido de la Revolución Democrática al gobierno de la ciudad de México, también los políticos de las oposiciones tuvieron oportunidad de iniciarse en la cultura del político rico. Además de multiplicarse, muchos gobernantes diversificaron su habilidad para la corrupción, todo ello en un país donde, sirva insistir, la impunidad no logró resolverse con la llegada de la alternancia. Mayor número de corruptos, con más capacidad para corromper a las instituciones del Estado, es lo que da origen al Mirreynato, etapa superior del alemanismo, cruzada por la sofisticación mexiquense, la ambición política del salinismo, la ingenuidad del foxismo y la soberbia moral del calderonismo.

Los ejemplos de la corrupción mirreynal abundan y no se trata, en las páginas siguientes, de hacer una enciclopedia de inmoralidades. Sin embargo, algunos casos merecen aquí ser referidos con el ánimo de ilustrar la dimensión que está alcanzando la corrupción en nuestros días, sin que nada juegue con eficacia a favor de su contención.

La mano en el bolsillo ajeno

En épocas de Adolfo López Mateos corría un mal chiste, atribuido a dicho presidente, quien supuestamente afirmó que El Problema

Nacional, así, con mayúsculas, era que cada político mexicano tenía la mano metida en el bolsillo de otro mexicano, una forma de reírse del lamentable sinónimo que en el país significan las palabras *político* y *ladrón*. A diferencia de aquellos gloriosos años sesenta, hoy el bolsillo de otro mexicano, dicho en singular, ya no alcanza para saciar las ambiciones económicas de ciertos integrantes de la clase gobernante: la moda del presente es colocar un ducto ancho que conecte a la tesorería pública con las cuentas bancarias personales. Como ejemplo está el caso del recién encarcelado exgobernador de Tabasco, el químico Andrés Granier Melo.

Este exmandatario se encuentra en prisión mientras se le sigue un proceso judicial, ya que la administración de su sucesor, el perredista Arturo Núñez, detectó un desfalco contra el erario público por 5 400 millones de pesos. Al parecer, el exgobernante distrajo esos fondos —originalmente destinados al mantenimiento de hospitales, compra de material médico y construcción de nueva infraestructura— para pagarse viajes fastuosos y comprar artículos de lujo, entre otras lindezas. Granier confesó, en una comunicación personal indebidamente registrada, que es poseedor de cuatrocientos pares de zapatos de marcas caras, trescientos trajes costosísimos y por lo menos mil camisas, el armario de un verdadero mirrey.

En ese diálogo el exgobernador reconoce que solía visitar Rodeo Drive, Miami, Los Ángeles y Beverly Hills para adquirir su vestimenta. Se hospedaba en el mismo hotel donde Julia Roberts y Richard Gere filmaron la película *Pretty Woman*, y en Los Ángeles gustaba visitar lujosos establecimientos como Saks, donde un par de zapatos cuesta alrededor de ocho mil pesos, es decir, ciento diecinueve días de salario mínimo.

La ostentación creciente que caracteriza al Mirreynato va acompañada de una demanda también incremental de recursos para sostenerla, de ahí que los niveles de corrupción se multipliquen. El químico Granier no tenía fortuna propia cuando dio comienzo a su mandato como gobernador de Tabasco allá en 2007, y sin embargo su patrón de consumo se transformó notablemente hasta igualar el de las estrellas que se pasean por las avenidas más lujosas de Hollywood.

No hay manera de explicar esta evolución sin el desfalco al que antes se hizo referencia; sin pudor, este gobernante tomó para sí recursos públicos destinados a la salud de la población para satisfacer su apetito insaciable de ostentación. Eso sí, lo hizo de manera tan burda y descuidada que el gobierno siguiente no tuvo que esforzarse demasiado para imputarle el delito de desvío de recursos y meterlo a la cárcel por malversación junto con varios de sus colaboradores.

Este no ha sido el destino de otro mandatario que coincidió en el tiempo con el químico Granier, en su caso al frente del gobierno de Coahuila: Humberto Moreira Valdés vive hoy cómodamente en la ciudad de Barcelona, España, a pesar de que han sido ya probados diversos delitos de fraude y desvío de recursos dentro de su administración. Igual de escandaloso resulta que, a pesar de estos datos, el hermano del exmandatario, Rubén Moreira, arrasara en los comicios siguientes para gobernador. Cabe especular que la única diferencia en el destino de estos políticos —uno tabasqueño y el otro de Coahuila— fue la persona que les sucedió en el puesto; mientras Arturo Núñez fue enemigo público de Granier, Rubén Moreira no podía serlo de su hermano. De nuevo estamos ante la selectividad en el castigo y las sanciones a las cuales se hizo referencia en el capítulo anterior.

El tesorero de Coahuila, ligado con Humberto Moreira, sí debió enfrentar a la justicia, pero no a la mexicana sino a la estadounidense: Héctor Javier Villarreal Hernández, anterior secretario de Finanzas de ese estado, actualmente se encuentra bajo proceso en los tribunales del país vecino, acusado de lavado de dinero procedente del narcotráfico, desfalco de fondos públicos y soborno. Los problemas judiciales de este individuo salieron a la luz en octubre de 2011, cuando se presentaron pruebas de una falsificación de documentos cometida por este personaje para incrementar la capacidad de endeudamiento de la entidad; cabe recordar que la deuda pública del estado de Coahuila pasó de 3 000 millones de pesos al principio de la gestión de Humberto Moreira, en 2005, a más de 33 000 millones, seis años después.

Antes de detener a Villarreal, las autoridades de Texas le incautaron una cuenta con valor de 28.6 millones de pesos en una institución financiera, ya que existían sospechas fundadas sobre una intrincada operación de lavado de dinero por medio de transacciones ubicadas en Bermudas, Bahamas y Estados Unidos. Con respecto a quien fuera su jefe político, la vida transcurre en paz: nada indica que esa jurisdicción texana vaya a perseguir por delitos similares a Humberto Moreira Valdés. Con todo, resulta sospechoso que Villarreal hubiese podido actuar en solitario.

Obra pública para beneficio privado

El día 3 de septiembre de 2014 el gobierno de la República dio a conocer la obra más importante que se emprenderá durante la administración del presidente Enrique Peña Nieto: el Nuevo Aeropuerto Internacional de la Ciudad de México (NAICM). Se trata de una infraestructura urgente desde hace ya varias décadas, así que el aplauso de la opinión pública fue sonoro. Pero el festejo supo a poco porque en el mismo momento se informó que el proyecto arquitectónico lo realizaría Fernando Romero, yerno de Carlos Slim Helú, el hombre más rico de México.

La sorpresa no implicó un juicio sobre el talento o la trayectoria de este profesional mexicano o de su socio, el reputado arquitecto británico Norman Foster; cabe que, en efecto, ambos sean la mejor opción entre todas las que se presentaron para concursar; sin embargo, el problema está en la opacidad del proceso seguido para asignar la responsabilidad. Según se informó, un comité de expertos revisó las dieciséis propuestas arquitectónicas sometidas a concurso, pero al revisar los nombres del citado comité, la sospecha original sonó fuerte la alarma: resulta que de sus integrantes ocho eran funcionarios públicos, cuatro contratistas del gobierno federal y sólo dos podían haber sido valorados como expertos independientes; no importa cuán pulcra sea la cartilla moral de esas personas, lo cierto es que los intereses que representan no los colocaban en una situación neutra ni autónoma y no obstante fueron mayoría en el órgano referido. A los anteriores hay que sumar a Alfredo Elías Ayub, hermano de otro yerno de Carlos Slim —y que quizá por esta circunstancia se abstuvo de emitir una opinión final—, y Gonzalo Martínez Corbalá, un político priista de otra época, quien ronda los noventa años y cuya trayectoria no ha estado próxima en modo alguno a la construcción de aeropuertos.

Todo indicaría que se trató de un comité de expertos integrado a modo para producir un resultado predeterminado; un concurso como los tantos que se han celebrado a lo largo de la historia mexicana para favorecer a los cómplices y perjudicar a quienes no lo son. Recuerda los peores vicios de la política corrupta del siglo XX, pero ahora con mayores consecuencias y recursos implicados. Este no es el único concurso que se celebrará para la construcción de dicho aeropuerto, pero sí es el primero y por ello debe temerse que un método parecido se seguirá a la hora de asignar las demás obras relativas a este gran proyecto. La inquietud es fundada y se alimenta de la cifra multimillonaria anunciada para financiar la nueva terminal: 120 000 millones de pesos. Con ese monto en la tesorería pública se puede enriquecer y favorecer a no pocos amigos.

Este episodio recuerda al narrado por Carlos Fuentes en su novela *La región más transparente*. La voz es de Federico Robles, un personaje de ficción dedicado a banquero: «...un hombre debe aprovechar las oportunidades que se le presentan. Y si no lo hubiera hecho yo alguien habría tomado lo que yo tomé, estaría donde yo estoy y haría lo que yo hago». Cuán poco parecieran haber cambiado las cosas desde que Fuentes redactó su obra más importante, en 1958, y a pesar de ello sí hay una diferencia: los montos de la obra pública contemporánea son superiores, la ostentación de la riqueza no tiene comparación y la impunidad que se puede comprar es cada día más amplia.

La obra gubernamental es la principal fuente de corrupción en México: ahí donde se produce una licitación crecen las posibilidades de inflar los precios, regatear la calidad de los trabajos, exigir y pagar comisiones exorbitantes, burlar a la autoridad y escaparse de rendir cuentas. La deuda de los estados de la República se multiplicó durante la última década, principalmente porque los congresos locales modificaron las leyes para financiar trabajos con recursos crediticios, un gran negocio porque los gobiernos estatales ponen como garantía de los empréstitos las participaciones futuras que la Federación les entrega anualmente. La cifra total de endeudamiento rozó los 436 242 millones de pesos en 2012; aunque Coahuila fue un escándalo a este respecto, no fue la única entidad que vio abultarse generosamente su adeudo con las instituciones financieras. Cabe por cierto mencionar que el Grupo Interacciones, cuyo dueño, Carlos Hank Rohn, hijo del profesor Hank, es el tercer banco beneficiado por esta ola de empréstitos. (Y aprovechando el dato, cabe comentar también que su constructora Hermes será una de las diez que participarán en la construcción del futuro aeropuerto.)

El problema principal, sin embargo, no ha sido la irresponsabilidad con que se adquirió la deuda sino la desconexión entre los recursos solicitados y la obra realizada, así como la asignación de los trabajos a empresas constructoras propiedad de los parientes y los aliados políticos. Ocurre así a nivel federal y en el ámbito de los estados, sucede por medio de prestanombres o directamente se entregan las obras a los políticos y sus tapaderas.

La negociación del Presupuesto de la Federación 2013 estuvo también lastrada por esta forma de corrupción. Los liderazgos parlamentarios, sobre todo del PAN, fueron acusados de extorsionar a las autoridades municipales a cambio de asignarles recursos: por una parte, diputados como Luis Alberto Villarreal, líder panista en la Cámara de Diputados, presuntamente exigió un soborno a su favor de entre 10% y 15% del monto de la obra. Por otra, algunos legisladores supuestamente exigieron contratar a determinadas compañías constructoras a cambio de gestionar partidas presupuestales para la edificación de inmuebles de gobierno o carreteras; a este episodio se le bautizó entre la opinión pública como «los moches».

En este mismo contexto vale rescatar los escándalos que en su día protagonizaron los hermanos Bribiesca. Durante la administración panista del presidente Vicente Fox salió a flote un expediente, bien relatado por la reportera argentina Olga Wornat en su libro *Crónicas malditas*, donde se señalaba que los hijos de quien fuera la primera dama, Marta Sahagún —los hermanos Manuel y Jorge Alberto Bribiesca—, fueron beneficiarios de varias obras dedicadas a la vivienda de interés social por conducto de una constructora establecida ex profeso para medrar del presupuesto público, de nombre Construcciones Prácticas.

También se vinculó entonces a estos mismos personajes con Amado Yáñez, cabeza de la empresa Oceanografía, contratista de Pemex que recientemente fue señalada por haber presentado documentación fraudulenta al banco Citibank-Banamex. Si se le sigue la pista a este caso, resulta que la paraestatal mexicana otorgó jugosos contratos a tal compañía entre 2002 y 2006 gracias a la intermediación de los hijos de la entonces primera dama; luego, en 2007, fueron sustituidos por personalidades políticas próximas al gabinete de Felipe Calderón, presumiblemente Juan Camilo Mouriño y algunos de sus socios campechanos. Al parecer fue en 2012, cuando ya no hubo quien desde el poder apoyara los negocios de Amado Yáñez, que Oceanografía cayó fatalmente en desgracia. No sería, sin embargo, sorprendente que la empresa referida se estuviese ya encaminando hacia su tercera reencarnación.

Compras gubernamentales, cambio de uso de suelo, permisos y licencias

Venderle al gobierno ha sido un negocio redondo para varios empresarios mexicanos: papel de baño para las escuelas, libros para las bibliotecas públicas, papelería para las oficinas, refacciones para maquinaria, asfalto para pavimentar, cemento para banquetas, créditos para los maestros, tabletas electrónicas para los alumnos, *software* para la contabilidad, seguros médicos para los empleados, publicidad en los medios de comunicación, vagones para el metro de la ciudad, luminarias para las avenidas y la lista es infinita. Ya se dijo, mientras en otros países las fortunas más respetables provienen de la innovación tecnológica, los avances de la ciencia o la gestión productiva de la manufactura, en México venderle cosas al gobierno sigue significando una ruta directa hacia el éxito económico.

Contar con un cómplice que ayude a ganar una licitación, pagar un soborno por el servicio y repetir varias veces la operación es el sueño de muchos proveedores mexicanos; pedagogía de la flojera empresarial dedicada a procurar, mientras dure, a un solo cliente —el gobierno— y no a conquistar mercados más grandes, consumidores más exigentes, y participar en una competencia más fuerte.

Suman muchas las fortunas que en México se fraguaron al calor de un pacto de cantina. El vendedor de armamento para el ejército que en realidad fue prestanombres de un expresidente; el subsecretario del Transporte que de la noche a la mañana se convirtió en constructor de carreteras; el exsecretario de Hacienda que ayudó a los congresos locales para que pudieran endeudarse a gusto; el exdirector de Pemex que se volvió representante de una empresa petrolera internacional, o el muy nacionalista exsecretario de Estado que terminó dirigiendo la empresa española más grande dedicada a la obra pública mexicana.

La capacidad para manipular las compras gubernamentales, así como la fuerza política para obtener permisos y licencias, son potestades bien apreciadas, y para cumplir con estas tareas los exfuncionarios públicos se cotizan bastante alto; después de haber cobrado del erario durante algunos años, optan por volverse gestores de la empresa privada —en muchas ocasiones compañías internacionales— para influir en la toma de decisiones dentro del gobierno.

Un caso que exhibió el estado de corrupción en que se encuentra la burocracia mexicana fue el de la operación que la empresa de autoservicio Walmart emprendió para aniquilar a su competencia; la pieza donde se cuenta esta historia ganó el Premio Pulitzer de Periodismo de Investigación 2013, los reporteros fueron David Barstow y Alejandra Xanic von Bertrab con la colaboración de James C. McKinley Jr., y se publicó en el diario *The New York Times* en abril de 2012.

Esta narración podría ser el reverso de aquella que León Krauze utilizó como argumento durante la entrevista colectiva con el presidente Enrique Peña Nieto: así como los mexicanos que residen en Estados Unidos tienden a exhibir un comportamiento de respeto hacia las leyes, las empresas estadounidenses que vienen a operar a México muestran conductas corruptas e ilegales, y tales actitudes no sólo son toleradas por sus casas matrices sino avaladas y hasta premiadas.

El incidente es como sigue: en el año de 2005 Sergio Cicero Zapata, abogado y exfuncionario de Walmart de México, dirigió un correo a un alto directivo de esa empresa en Estados Unidos para denunciar una red de corrupción montada por sus antiguos jefes con el objeto de obtener a gran velocidad licencias de operación y permisos de construcción; de acuerdo con esta fuente, Walmart de México habría gastado durante el primer lustro del siglo XXI más de 310 millones de pesos en diversas gestorías dedicadas a sobornar.

Dijo el abogado Cicero que decidió denunciar esta red de corrupción ya que no obtuvo de la empresa extranjera el ascenso que según él se merecía y sin embargo el señor Eduardo Castro-Wright, quien era la cabeza de Walmart de México —y por tanto el principal responsable de esta operación—, sí fue promovido hasta convertirse en vicepresidente internacional de la compañía.

De acuerdo con Cicero, la estrategia de Castro-Wright consistió en que Walmart ganara mercado con respecto a la competencia al instalar a marchas forzadas el mayor número de tiendas en territorio mexicano, para lo cual era necesario obtener a toda velocidad permisos y licencias que tardan varios meses en conseguirse, o peor aún, cambios en el uso del suelo, certificaciones falsas de impacto ambiental y documentos apócrifos donde supuestamente los vecinos daban su visto bueno para la instalación de los establecimientos.

Hoy, 1 de cada 5 tiendas Walmart en el mundo está ubicada en México; la facilidad con la que —mediante el soborno— creció la presencia de esta marca fue sorprendente. Sergio Cicero se acusó de ser responsable de contratar a diversos gestores para lograr este propósito: tales personajes, de su lado, distribuían los recursos ilegales entre las diversas autoridades locales y federales. En su nómina de pago puede suponerse que hubo inspectores, presidentes municipales, regidores, líderes de vecinos, autoridades ambientales, responsables de protección civil, oficiales de policía y un largo etcétera de individuos cuya firma es indispensable antes de que un establecimiento tan grande como un supermercado pueda abrir sus puertas al público.

Si se miran con detalle los trámites señalados por los periodistas del *New York Times* podrá constatarse que, en efecto, tales permisos o licencias eran obtenidos en pocas semanas e incluso en unas cuantas horas; el trabajo de los gestores fue precisamente ese, brincar todos los obstáculos burocráticos con la mayor agilidad posible para que la competencia de Walmart quedara rezagada. Este ejemplo prueba que la corrupción tiene a la desigualdad como su consecuencia obvia: aquel que posee los medios económicos y obtiene con ello el favor de la autoridad, logra privilegios que lo colocan por encima del resto.

El escándalo que produjo el reportaje de los periodistas del *New York Times* no se debió a que las comunicaciones de Cicero dirigidas a la casa matriz se hicieron públicas; el tema se volvió explosivo cuando los investigadores de la prensa demostraron que, a pesar de haber tenido noticia temprana sobre esta red de corrupción, los altos mandos de Walmart, ubicados en Bentonville, Arkansas, prefirieron desestimar los dichos de Cicero aunque al principio promovieron una auditoría que comprobó prácticamente toda la evidencia presentada por este exempleado mexicano.

No debe perderse de vista que en ese país hay una ley específica para castigar los actos de corrupción que empresas estadounidenses puedan eventualmente cometer en contra de gobiernos extranjeros; sin embargo, el reportaje referido no especula sobre las razones que llevaron a los principales ejecutivos internacionales de Walmart a menospreciar la gravedad del asunto. Con todo, vale intuir que desde la directiva se asumió que el costo a pagar por aquel comportamiento ilegal comandado por Castro-Wright era menor en comparación con los beneficios obtenidos por la corrupción, ya que esa compañía terminó ganando en México un mercado que justo por aquellos años estaba siendo fuertemente disputado.

Este es uno de tantos ejemplos que podrían utilizarse para exhibir la facilidad con que el poder económico es utilizado para hacer que las normas mexicanas, y las autoridades responsables de aplicarlas, respondan fielmente a los intereses privados. De nuevo, no es un problema cultural sino uno relativo a la debilidad que experimentan las instituciones: así como Walmart pudo pasar por encima de todo obstáculo que se interpusiera en su camino, igual hacen en México cientos de compañías dedicadas a la actividad inmobiliaria, los servicios o la manufactura. La aplicación de la ley es un bazar que favorece al mejor postor. Los actos de autoridad se subastan siempre a favor de quien más privilegios tiene.

La destrucción de tantos monumentos históricos, el sembrado caótico de cientos de colonias marginales, el caos vial de las ciudades, los complejos habitacionales —bosques de tinacos negros— que no cuentan con servicios de transporte, drenaje o agua son sólo algunas de las huellas urbanas que la corrupción va dejando en México mientras se enriquece rápidamente a unos cuantos y se desposee a la mayoría.

«El gestor» es un personaje nefasto que ha sobrevivido con los años y que se encarga de conectar la corrupción entre los ámbitos privado y público. Los hay de baja resolución y son aquellos que se dedican a comprar por unos cuantos miles de pesos al funcionario de un municipio, pero también abundan aquellos dedicados a obtener el favor de la autoridad más elevada; a estos segundos se les llama lobistas, cabilderos o de plano profesionales de las relaciones públicas. En efecto, en todos los pisos de la estructura social hay un gestor —un cadenero— que abre y cierra la puerta de la corrupción. Ellos son los traductores, los cobradores, los mediadores de las miles de prácticas ilegales que desigualan todos los días a las personas.

Favores por votos

Las elecciones mexicanas se han convertido también en un polo intenso de corrupción. En todo México hay un mercado del voto al que se puede recurrir si se cuenta con dinero suficiente, no importa que se trate de un proceso de selección interna de dirigentes partidarios, de una elección para presidente municipal o de los comicios federales donde será electo el jefe del Estado. En este país, como en otras democracias del mundo, se requiere de mucho dinero para obtener el triunfo.

Sin embargo, cada vez más los recursos económicos de los partidos mexicanos se destinan a movilizar grupos de personas para que acudan a las urnas a cambio de dinero, premios o regalos. Los ejemplos de esta realidad crecen como la espuma cada tres años por las denuncias que los dirigentes y las fuerzas políticas se lanzan entre sí, y aun así no hay uno solo que se haya abstenido de comprar la voluntad popular a la hora de luchar por el poder.

Las clientelas urbanas y también las rurales son grandes depósitos de votos que, elección tras elección, se disputan durante las campañas; se trata de redes humanas lideradas por gestores que con regularidad ofrecen favores y cobran con votos. Un mecanismo común para la adquisición de la voluntad popular es la entrega de despensas de alimentos: recientemente se ha modernizado esta práctica y ahora se distribuyen tarjetas electrónicas que contienen un monto en dinero disponible para que su poseedor acuda a ciertos establecimientos o a la tienda de su preferencia.

Como esta práctica existe otra: el obsequio de objetos electrodomésticos, útiles escolares, tinacos, láminas para el techo, sacos de cemento, toneladas de varilla y el etcétera es largo. Se trata de una costumbre aceptada y recurrente porque hay una población con grandes necesidades y estos gestores mercadean para satisfacerlas; obtienen a cambio el agradecimiento y después el apoyo para tal o cual candidato o partido. Son ellos los que ayudan a que, el día de los comicios, la infantería de una fuerza política le arrebate el triunfo a sus competidoras, aunque si las elecciones son muy reñidas se requiere además reforzar con publicidad en los medios de comunicación; en la jerga de los estrategas electorales, a este componente se le llama «aviación» y hace referencia directa al bombardeo de *spots* y notas pagadas que, por radio y televisión, suele saturar los sentidos de la ciudadanía.

Es mentirosa la premisa de nuestras leyes que supuestamente obliga al financiamiento público de las campañas políticas y las candidaturas; según la falaz norma mexicana, 9 de cada 10 pesos gastados por los participantes en las elecciones se pagan con dinero del contribuyente, pero esa verdad legal nada tiene que ver con la realidad. La vida de los partidos en lo que toca a su financiación es tan informal como un inmenso tianguis de sábado. En México, el dinero ilegal es muy importante para ganar o perder elecciones: tanto la infantería como la fuerza aérea de las campañas son negocios que se mueven con recursos que la ley prohíbe, y peor aún, que la autoridad difícilmente puede rastrear y sancionar.

Podría aquí equivocarse quien suponga relevante el financiamiento privado a las campañas; si bien los grandes empresarios, y uno que otro mediano, invierten en aventuras políticas que al final pueden retribuirles, lo cierto es que la mayor parte del financiamiento ilegal tiene un origen ligado a la tesorería del Estado mexicano.

La obra pública lleva mano a la hora de financiar a la infantería, sobre todo en las elecciones locales o en aquellas que, aun si son federales, están comandadas por los liderazgos de las regiones. Se suele entregar de manera tramposa al constructor aliado un trabajo oficial a cambio de que «se moche» con un 10 o 15%; alguna parte de ese dinero va a dar al bolsillo del funcionario responsable con el objeto preciso de impedir que denuncie más adelante el hecho, y el resto se destina a refaccionar los gastos operativos del candidato o partido que se identifican con el gobierno en turno.

Ya se dijo antes, durante 2014 se presenció el escándalo de «los moches» y en 2012 la deuda pública estatal significó otro síntoma del mismo fenómeno. Ambas hebras —«moches» y deuda estatal— son parte de la misma narrativa corrupta: los préstamos se utilizaron para financiar obra pública que, a su vez, sirvió para entregar sumas extraordinarias de dinero a la infantería de campaña.

Luego hay que agregar las fuentes ilegales de financiamiento para la «aviación» de los partidos. La mal llamada «publicidad gubernamental» cumple con una función parecida a la de la obra pública: presidentes municipales, gobernadores, senadores, diputados y el Ejecutivo federal pagan sumas estratosféricas a los medios de comunicación supuestamente para publicitar temas de interés general, cuando en realidad tales recursos se utilizan para obtener un trato preferente en los noticiarios y otros programas, así como descuentos importantes en la pauta de *spots*.

Es evidente que quien logra extraer un mayor número de recursos del erario —sea mediante la obra pública para refaccionar a la infantería, o con la publicidad gubernamental para financiar a la «aviación»— tendrá mejores posibilidades de triunfo. En ambos casos se está en presencia de «moches» al presupuesto público, es decir, de desvíos de recursos que son de las y los contribuyentes. Mientras los presidentes municipales acuden en menor medida a estas prácticas —porque su lugar en la estructura social no les permite más—, en los pisos de arriba se concurre en escala grande sin rubor ni vergüenza. El argumento detrás de ese comportamiento es de idéntica naturaleza: se trata de ganar elecciones y de paso sumar algunos millones de pesos al patrimonio personal.

El negocio del crimen organizado

Una sociedad con instituciones formales débiles es presa fácil de la arbitrariedad de los más fuertes. Si la capacidad de sobornar determina el resultado de la relación entre las personas y el gobierno, llevan mano los que poseen mayores recursos para corromper. En México el crimen organizado tiene ventaja competitiva para participar en este juego perverso; cuenta con capital, y si este no alcanza, tiene capacidad para someter por la fuerza a sus potenciales detractores.

De todos los argumentos contra la corrupción, probablemente éste sea el más relevante: una sociedad sensible al soborno es una sociedad vulnerable ante el crimen. Los funcionarios públicos corruptos no suelen preguntar por el origen del dinero que comprará su actuación, y quienes sobornan tampoco acostumbran dar explicaciones; igual puede provenir de la venta de drogas ilegales que de la trata de personas, el comercio de armas, el tráfico de órganos, el erario público o la partida que Walmart de México destinó para abrir más tiendas.

El terreno de la corrupción es el de la informalidad. Dentro de sus márgenes ocurren operaciones que no dejan huella completa de su trayectoria, trámites oscuros, arreglos cuya narrativa sólo es fragmentaria. No sorprende por qué cuando se persigue a quienes cometen actos delictivos, suele ser mejor acusarlos por violaciones menores, como la defraudación fiscal; fue el caso del mafioso Al Capone en Estados Unidos y del exgobernador tabasqueño Andrés Granier o de la exlideresa magisterial Elba Esther Gordillo en México.

En una sociedad donde se prohíben las drogas, el precio de esos productos tiende a crecer, ya que sus fabricantes y comerciantes se ven forzados a pagar costos extras para burlar a la autoridad y resolver sus conflictos internos; sin embargo, el sobreprecio que la prohibición impone sobre este mercado deja ganancias que alcanzan para cubrir tales costos y sobra bastante. Esos recursos se convierten de vuelta en capital que se utiliza para seguir sobornando y corrompiendo a la estructura responsable de asegurar la prohibición: de ahí que en los países donde las drogas son ilegales, si la demanda es estable, la posibilidad de corromper a las autoridades tiende a ser cada día peor.

México es una nación donde el dinero proveniente del crimen organizado ha hecho mucho mal; los recursos de este negocio han pronunciado la corrupción de la estructura social. Probablemente el poder económico derivado de las drogas ha golpeado con mayor potencia a la parte baja del edificio: si antes la corrupción en la cúspide era el fenómeno más notorio, hoy puede hablarse de la corrupción generalizada que permea a todas las coordenadas del cuerpo social. En otras palabras, el crimen organizado, sobre todo el orientado a los narcóticos, democratizó —generalizó— una práctica que antes predominaba entre la élite gobernante. En efecto, la capacidad de corromper autoridades dejó de ser un privilegio de los habitantes de la cúspide, lo cual es un fenómeno que distingue al régimen del Mirreynato con respecto a su antecesor.

La corrupción pronuncia gravemente las desigualdades. En una estructura de oportunidades lastrada por la corrupción, los más pudientes obtienen la mejor tajada del Estado y sus leyes, no importa si aparecen en la portada de las revistas de sociales o su vida es narrada en los narcocorridos prohibidos. México es un país desigual porque tiene una élite muy corrupta y ésta es así porque ha logrado que las instituciones prodiguen impunidad, fueros y privilegios; que discriminen, pues, entre mexicanos. Es la cultura del Grupo Atlacomulco y del emblemático Hank González la que reproduce la desigualdad y no la cultura general de una población que muy poco se beneficia de ella. Los capítulos siguientes están dedicados a observar el funcionamiento del Mirreynato a partir de estos dos elementos que lo caracterizan: la discriminación y la desigualdad económica.

V
Discriminación

México encapsulado dentro de otro México

En el filme *Nosotros los Nobles* la trama se vuelve interesante cuando Germán, un constructor con medios económicos sobrados, decide sacar a sus tres hijos de la burbuja cómoda donde viven para someterlos a una experiencia de vida distinta. El guión de Adrián Zurita logró traducir en una narrativa cómica el recorrido que los jóvenes Noble (Javier, Bárbara y Carlos) hacen desde su remota ignorancia de la realidad social mexicana hasta la vida normal y cotidiana de millones de seres humanos.

Javier tiene que aprender a conducir un transporte público, Bárbara se hace mesera en una fonda de barrio y Carlos obtiene empleo como cajero. Para el observador externo el viaje resulta hilarante no sólo porque estos muchachos carecían de herramientas para lidiar con el mundo del trabajo, sino también porque desconocían prácticamente todo lo existente fuera de su cápsula de niños mimados.

La prueba a la que esta película somete a sus heroicos personajes posee similitud con aquella que ensayaría un migrante que, contra su voluntad, hubiera tenido que mudarse a vivir a otro país. La celebrada película no explica, sin embargo, por qué la vivencia de los jóvenes Noble es tan chocante cuando en realidad Javier, Carlos y Bárbara son forzados a viajar solamente unos cuantos kilómetros de distancia desde su residencia original; Germán, el padre, los aloja en la casa que fue de sus abuelos, ubicada en una colonia popular que se encuentra en la misma ciudad.

De toda evidencia su jornada no es física sino sicológica: esos jóvenes sufren emocionalmente la penosa expulsión de su paraíso. Javier, Bárbara y Carlos habían oído sobre la existencia de ese otro México, concepto antes tan abstracto para ellos como la galaxia de Andrómeda, pero desde su más temprana infancia extraviaron la conciencia que se requiere para prestarle atención. Ellos, como el resto de los habitantes de la esfera protegida, eran poseedores de una deficiencia neuronal —similar a la que tendría alguien que no aprendió a reconocer los colores o las texturas de su entorno—, resultado de una pedagogía construida para vivir con naturalidad la separación sideral de los estamentos.

El viaje planeado por el rico constructor tiene como propósito desvanecer esa tara por medio del regreso familiar a los orígenes: Germán Noble quiere que su descendencia adquiera la cultura del esfuerzo que a él lo hizo un hombre exitoso. Acaso la fama que obtuvo este filme en 2013 se debió a que describe una trayectoria tan fuera de lo común como lo sería visitar los cráteres de la Luna. La jornada que ahí se narra para la familia Noble es una que en México no sucede casi nunca; fue por su rareza que despertó morbo entre el público. En términos estadísticos no ocurre que alguien nacido en el *penthouse* mexicano sea arrojado a vivir a ras de suelo. No importa cuántas veces se repita esta fábula en el cine o la televisión, su frecuencia es prácticamente nula.

Civilización y barbarie

La geografía del Mirreynato logra convencer a sus habitantes de que pueden bastarse a sí mismos: cuentan con sus propias escuelas, hospitales, clubes deportivos, restaurantes o centros comerciales. Quienes habitan dentro de esa esfera apartada pueden transcurrir buena parte de su existencia suponiendo que nacieron en un país de primer mundo. Es una réplica de otras regiones pudientes del planeta Tierra; el Mirreynato ha imitado a Miami en Cancún, Houston en Santa Fe, La Défense parisina en Cuajimalpa, San Antonio en Chipinque y los suburbios de Madrid en la colonia Puerta de Hierro de Guadalajara. Fuera de esas colonias, lo demás se percibe como barbarie.

Otro fragmento de la novela *Las batallas en el desierto*, de José Emilio Pacheco, ayuda a describir esta realidad mexicana dislocada: «Mi madre insistía en que la nuestra —es decir, la suya— era una de las mejores familias de Guadalajara... Hombres honrados y trabajadores. Mujeres devotas, esposas abnegadas, madres ejemplares. Pero vino la vergüenza de la indiada y el *peladaje* contra la decencia y la buena cuna».

Como este párrafo delata, tienen por costumbre coexistir sin comunicarse los dos Méxicos, el *Mexiquito* y el *Mexicote*, como los ha llamado el economista Fausto Hernández; a veces chocan y casi siempre se repelen. Sin embargo, es inevitable que agentes venidos de una esfera se cuelen a la otra. El dinero, sobre todo, y a veces el imaginario sentimental de una relación descastada, son puentes que hacen posible el cierre social.

Para abordar el primer mecanismo retomo aquí una conversación sostenida con Paloma, la madre de dos jovencitas que estudian en una de las escuelas con mayor pedigrí de la ciudad de México: «La primera noticia que tuve de Olitzi fue por mi hija, la más pequeña. Un día llega a casa y me cuenta: "Tú crees, mamá, en mi clase hay una niña naca, naca, naca, que trae el pelo hasta acá, como a la cintura. Se llama Olitzi. ¿Qué crees que me dijeron? Que antes iba en el Rosedal y que ahí se llamaba de otra manera, y tú crees, mamá, si tú le preguntas qué hace su papá, te dice que es piloto, del norte". Un día Olitzi invitó a su fiesta a mi hija, y la verdad mi hija no tiene muchas fiestas. Le dije: "Ay, Laura, esa amistad no me gusta nada". Y me dice, "Bueno, mamá, voy a ir". "¡Ándale pues!" [En un complejo residencial con] unas casas muy bonitas que valen tres millones de dólares, cada una, y unos edificiotes, me recibió la tía con su sobrinita. Le dije [a mi hija]: "Te dejo una hora y media, voy por tu hermana al ballet y regreso". Volví a las cinco treinta y me dice: "Ay, mamá, qué rara fiesta, sirvieron camarones, la niña traía unas botas de

Gucci y unos aretitos de esos que bailan. Dieron de beber champán", ¡una niña de doce años con champán!».

»... Un año después aquella niña volvió a ser tema de nuestra conversación: "Tú crees, la Olitzi hizo otra comida de su aniversario; invitó a diez niñas y diez niños al [restaurante] Suntory. Dicen que saliendo de ahí la subieron a un coche y la secuestraron". Nunca regresó al colegio, dicen que se fue a estudiar al Miraflores de Toluca y también que después se cambió de colegio y se fue a otro y que ahí se llama de otra manera».

Esta anécdota da cuenta sobre la manera en que la cápsula del Mirreynato es vulnerable frente al ácido del dinero: con recursos económicos se puede inscribir a un hijo en un colegio de élite y también es posible habitar en un complejo residencial exclusivo. Por más que se intente cerrar la escotilla, una sociedad que basa el prestigio de sus integrantes a partir de las cuentas de banco, resulta fácil de asaltar por quienes tienen fortuna. El dinero es el caballo de Troya del Mirreynato, por eso la preocupación de Paloma sobre la posible adscripción profesional del padre de Olitzi: piloto del norte, gomero, traficante y criminal son oficios que podrían estar emparentados. La niña de diez años que bebe champán y usa botas Gucci es una naca; y si se agrega un «r» puede también ser acusada de narca. En estos tiempos en que la riqueza originada en el comercio ilegal de estupefacientes es un potente ascensor social, el más eficaz y acaso el único que funciona con velocidad, resulta fácil acusar de narcotraficante a quien no comparte los modos, las formas, la vestimenta, el lenguaje o el apellido con abolengo.

Aunque los mirreyes puedan ofenderse, no es tarea sencilla descifrar los códigos que distinguen la estética narca de la mirreynal. Ambos personajes conviven en las mismas escuelas, en las mismas zonas residenciales, en los mismos clubes; usan también la misma ropa de marca, se transportan en los mismos automóviles y visitan las mismas playas. Los dos tienen entrada a la cápsula y la sola diferencia con los segundos es que los primeros suelen ser recién llegados.

Sin embargo, la permanencia en el *penthouse* social depende de la velocidad con que el último en incorporarse se asimile a la cultura predominante. Es muy probable que no sea expulsado de ese círculo social por razones ligadas al origen de la fortuna familiar, pero lo será si no aprende pronto a imitar las reglas del lugar. La idea es adoptar los símbolos de lo que se asume como civilizado, tomar como propio el boleto de entrada a un mundo que se presenta como cultivado, bien nacido, bien educado; forzarse a imitar las costumbres sociales que en la era feudal habrían sido las del cortesano. Hay que conseguir el favor de las personas con mayor reputación, asistir a sus fiestas, ser invitado a viajar en sus yates, comportarse con estrategia y tiento.

El látigo con que se educa a los recién llegados es el de la vergüenza, un sentimiento directamente proporcional a la sensación de no pertenecer al grupo social que se desea. Los aretes y la casa de Olitzi, conjugados con otros elementos como el oficio del padre, la carencia de un nombre conocido y la desaprobación de sus compañeras de escuela son pócima perfecta para imponer vergüenza sobre aquella persona que no nació en la casta; no obstante, si con el tiempo el descastado aprende las reglas del juego, sus finuras y recovecos, podrá revertir el rechazo.

Con frecuencia las canciones populares, el cine y sobre todo la televisión mexicana tienen como trama favorita la historia de un amor entre un hombre y una mujer que provienen de distintas sociedades. En los años noventa del siglo pasado, Selena, la célebre cantante méxico-texana, compuso «Amor prohibido», pieza popularísima que todavía se escucha por la radio. Su letra funciona bien para explicar el argumento:

«Amor prohibido» murmuran por las calles,
porque somos de distintas sociedades,
«amor prohibido» nos dice todo el mundo...
Aunque soy pobre,
todo esto que te doy,
vale más que el dinero
porque sí es amor.

Los ejemplos de amor descastado que pueden encontrarse en la composición musical nacional suman una cantidad extraordinaria. El tema es prácticamente garantía de éxito; trata esta narrativa de convencer sobre la idea de que el amor es un sentimiento capaz de abrir la puerta social mejor cerrada. Entusiasma esa posibilidad: es el argumento del muy exitoso filme estadounidense *Pretty Woman*, estelarizado por Julia Roberts en el papel de una prostituta y Richard Gere como un financiero millonario. El final feliz ocurre cuando las respectivas diferencias sociales de ambos personajes son reconciliadas gracias al amor.

Las telenovelas son el otro mar infinito de epopeyas descastadas: *Rosa salvaje, María la del barrio, Hasta que el dinero nos separe, Qué pobres tan ricos* o *Los ricos también lloran* son sólo algunos nombres de los folletones a la mexicana que, desde hace décadas, han sido parte importante de la educación sentimental en los hogares patrios y también han logrado fama en América Latina, Rusia y algunos países asiáticos.

Resulta sorprendente que el auditorio no rechace esa trama mentirosa: es remotísima la posibilidad de que el hijo del patrón se enamore de la trabajadora del hogar y que con ese hecho romántico ella logre obtener un lugar digno y definitivo dentro de la corte aristocrática, y sin embargo fascina la historia de Cenicienta. Ocurre así por el mismo motivo esgrimido antes con respecto a la película *Nosotros los Nobles*: por el morbo que en los seres humanos arrancan las cosas extravagantes. Por la misma razón que se acude al circo para ver a la mujer barbuda, al hombre más alto del mundo o a un burro cruzado con cebra; el auditorio sabe que está ante un hecho insólito porque el amor descastado no ocurre en sociedades como la mexicana.

Y es que el mirrey no es capaz de resistir la crítica cuando se le señala por tener una novia naca; aún mayor dureza se ejerce contra la mujer que elige como pareja a un varón proveniente de un estamento menos aventajado. El argumento detrás de esta prohibición es muy antiguo: acaso desde su surgimiento, hacia finales del siglo XVIII, las clases media y alta mexicanas asumieron como incuestionable la prohibición del mestizaje con indios y pobres. El mito del amor descastado sirve para fijar los límites tolerables del círculo social que administra los favores, es parte del cierre infranqueable que separa a los privilegiados de los desposeídos, y la teoría del darwinismo social ayuda a perfeccionar el argumento: se toma como cierta la creencia de que los híbridos, producto del amor prohibido, heredan lo peor de cada casa.

La sentencia es de un personaje español que aparece en la novela *Santa*, de Federico Gamboa: «Los vicios de México exhiben raíces aborígenes, el desagradable regusto de los salvajes, característico de los indios prehispánicos».

Es pieza clave para alimentar tal prohibición clasificar a los seres humanos entre personas civilizadas y entes salvajes, ubicarlos en geografías reales y metafísicas separadas. El salvaje está colocado fuera de la ley, o dicho en lengua inglesa: es un *outlaw*. Todo sirve para fincar la distancia, la exclusión, la barrera entre el territorio bárbaro y el orden conveniente de los aventajados.

Con estos principios el Mirreynato mexicano ha edificado sus ciudades. Tendría que ser revisada la convención que afirma que ha faltado planeación urbana en México: sí la ha habido y regularmente ha tenido como principal propósito separar las zonas «civilizadas» de los territorios bárbaros. Es notable lo bien que hacen su tarea los funcionarios públicos cuando deben cumplir con esta misión, vale la pena visitar los principales puertos turísticos como Cancún, Los Cabos o Acapulco para confirmar esta hipótesis. Ahí coexisten, con poca distancia física de por medio, de un lado la avenida perfectamente pavimentada, los edificios más modernos e inteligentes, el mejor servicio de transporte para pasajeros, y del otro las colonias populares carentes de servicios, mal electrificadas, irregulares y siempre afectadas por los fenómenos que la naturaleza impone contra los lugares de playa.

¿Por qué cuando se planearon estos polos turísticos mexicanos no se pensó en las personas que habrían de tender las camas de los hoteles, cortar el césped de los campos de golf o servir las mesas de los restaurantes elegantísimos? ¿Por qué se decidió que la civilización era sólo para el turista, mientras que los empleados de la industria hotelera debían permanecer en la zona bárbara?

A estas preguntas se suman tantas otras que surgen de recorrer las demás urbes de México. Coexisten codo a codo las barrancas y laderas pobladas por paracaidistas, con las edificaciones ostentosas de concreto y cristal; de un lado están los antiguos tiraderos de basura en la colonia Santa Fe de la ciudad de México y del otro los principales corporativos del país. Por una parte se hallan los barrios pauperizados que circundan la presidencia municipal de Huixquilucan y por la otra la majestad urbana de Interlomas, y estos ejemplos se repiten en Ciudad Juárez cuando se comparan las colonias Lomas de Poleo y Anapra —lugar donde fueron sembrados tantos cadáveres de mujeres— con el complejo residencial conocido como el Country Club, o la colonia Independencia de Monterrey y las zonas residenciales de San Pedro Garza García, donde la brisa y la altura benefician a la aristocracia neoleonesa en días de mucho calor.

La selectividad con que se planea la urbanización en México es un síntoma palmario de la cultura discriminatoria. Sus principios asimétricos juegan a la hora de definir dónde se construye una estación de metro, una parada de autobús, las zonas comerciales, dónde se entrega una licencia de construcción y cómo se puede modificar el uso del suelo. En la zona bárbara la autoridad se mete poco: ahí el desorden urbano es obra de la oferta y la demanda, fundamentalmente de las clientelas políticas, mientras que en la zona civilizada también es resultado de la oferta y la demanda, pero de clientelas económicas. El rostro urbano de la ciudad mexicana tiene como sola regla la subasta de los actos de autoridad a favor del mejor postor; este es el principio de la planeación que sí hay en México aunque no ofrezca los mejores resultados y se aparte tanto de la ética como de la estética que serían deseables.

El cierre social

Cuando Porfirio Díaz gobernaba México, la ciudad de Puebla tenía una curiosa prohibición: nadie que vistiera calzón de manta podía ingresar al centro de esa localidad entre las seis de la tarde y las ocho de la mañana. Así garantizaron los catrines de la época que sólo ellos tuvieran permiso para pasear de noche por las calles poblanas; el calzón de manta funcionó como pretexto para expulsar a las poblaciones con ascendencia indígena. Esta norma absurda terminó en 1911, cuando las tropas de la Revolución derrocaron a la aristocracia porfiriana; sin embargo, antes de perderlo todo, ésta logró obtener un último privilegio: cuando las fuerzas comandadas por Emiliano Zapata rodearon la capital poblana, la élite amenazada escribió una carta a Francisco Villa para que fuera su ejército, criollo y norteño, el que ingresara a la ciudad porque los catrines temieron con horror entregar sus bienes a las huestes bárbaras de un caudillo con piel cobriza.

Algo han cambiado las cosas en México durante los últimos cien años; la Revolución entregó poder a muchos mexicanos que antes no tenían nada, pero durante el siglo XX el país mantuvo rasgos graves de discriminación que volvieron a exhibirse con el movimiento zapatista de 1994. Aquel levantamiento ocurrido en Chiapas elevó la voz para exigir que México dejara de ser el país de un solo partido (el PRI), de una raza legítima única (el mestizo), una sola religión (el catolicismo), un modelo único de familia (mamá, papá y dos hijos), un solo sexo (masculino), una región favorita (la ciudad de México) y un color preferido de piel (más blanco que cobrizo).

A partir del año 2000, diversas reformas a la Constitución y una cantidad considerable de nuevas leyes colocaron el tema de la lucha contra la discriminación en el centro del debate público. Junto a esta transformación comenzó a ocurrir otra de tipo cultural: para regresar a un término utilizado antes, en el seno de la sociedad creció el sentimiento de vergüenza pero ahora frente a la comisión de actos discriminatorios. También la evolución tecnológica —sobre todo con los teléfonos móviles y las cámaras digitales— hizo posible que los actos discriminatorios se volvieran tema principal del debate público; antes la desigualdad de trato pasaba desapercibida, hoy continúa existiendo pero la sociedad cuenta con anticuerpos para exhibirla.

En este contexto cabe rescatar una anécdota reciente que las redes sociales hicieron pública. La protagonista fue la senadora perredista Luz María Beristáin Navarrete y la historia comienza cuando esta mujer llega a un aeropuerto con nueve minutos de retraso, encontrándose con que su vuelo ya había cerrado; una empleada de la aerolínea le explica que por política de la empresa era imposible subirla a la nave y que además no podría obtener reembolso por el boleto perdido. En un video que otro trabajador de la misma compañía filmó con su propio celular no se alcanza a observar ninguna actitud grosera o fuera de lugar por parte de la empleada: no hay aspavientos, tampoco levanta la voz ni utiliza palabras o frases que pudieran ser consideradas como majadería. En contraste, la senadora de izquierda derrocha prepotencia en el mismo video.

En un diálogo memorable con quien está tras la cámara, la representante popular buscó ridiculizar a la mujer que la atendía del otro lado del mostrador: «En todas las aerolíneas hay un criterio y una flexibilidad... La gente piensa [y se toca la sien con un dedo para cuestionar la inteligencia de quien tiene enfrente]: "Es una senadora que está ayudándonos para gestionar recursos"... A la mejor la señorita es de un partido distinto al mío y encontró la oportunidad de fastidiarme...».

Este argumento de la legisladora desesperó a la dependienta de la aerolínea, quien precisa que «eso» —la política entre partidos— nada tiene que ver con lo que ahí está sucediendo.

De manera sorpresiva la senadora enfurece y acusa a su interlocutora de tratarla con grosería: «Hasta las otras aerolíneas, que son más importantes que ésta, tienen un criterio. Si viene un gobernador, un senador o un presidente municipal [los dejan subir]. Soy tu representante, en la tribuna más alta del país».

La empleada baja la mirada con resignación y niega con la cabeza. Intenta sin embargo aclarar, por última vez, que están ante una norma inquebrantable de la empresa. Pero la senadora revira: «¿No hay alguien con quien se pueda hablar, de mayor criterio? Que entienda lo que significa... que la señorita tiene una cerrazón. Y una *misioginia* [sic] y una grosería terrible. ¡Poniéndose al tú por tú con una autoridad! ¡Poniéndose al tú por tú conmigo! La señorita está peleada con la vida... Pero nos vamos a ir hasta las más altas instancias».

Termina recriminando con tono burlón y condescendiente: «Grosera, grosera... ¿dónde estudiaste, preciosa?». Otra mujer que se encontraba a un lado de la legisladora levanta la voz y añade: «En Tepito, seguramente en Tepito estudiaste. Pinche escuincla».

La clave de este episodio ocurre cuando la legisladora Beristáin se ve rebasada al sentir que la están tratando como si ella fuera igual a la dependienta en posición social y poder. ¿Cómo se atreve la empleada a ponerse al tú por tú con ella, que es una senadora? ¿Cuántas veces se repiten palabras similares a estas en otros contextos de la sociedad mexicana? Términos que se usan para reclamar al otro un trato que no debe ser de iguales. Una expresión prácticamente idéntica en significado es aquella que exige «no ser igualado». ¿Desde qué resorte feudal vendrán tales discursos? Sería difícil rastrear su origen pero no se prestan a ninguna ambigüedad; son la manifestación nítida de una sociedad orgullosa de la manera en que marca tales diferencias.

No importa si hoy dice la Carta Magna en su artículo primero que las y los mexicanos deben ser igualados y que al menos desde el plano jurídico tienen argumento para hablarse al tú por tú; tampoco que la senadora haya jurado defender ese texto y todas las leyes que de él emanan. El énfasis dramático del video está colocado en el hecho de que esa empleada de aerolínea osó, primero, comunicar las políticas de la empresa y, segundo, se atrevió a desafiar el supuesto trasfondo político de la decisión. Se suma además a la escena una tercera voz de mujer que, apostando a la complicidad de clase, acusa a la chica maltratada de haber estudiado en una escuela de barrio pobre y plebeyo, antes de rematar con la expresión complaciente pero lapidaria «pinche escuincla».

Esta escena sólo tiene de extraordinario que logró ser registrada por la cámara de un teléfono celular y gracias a ello se reprodujo en la ciudad virtual; sin embargo, al observarla se puede coincidir con que se trata de una situación de lo más común y corriente en la sociedad mexicana. En voz alta o baja, e incluso en silencio, se exige frecuentemente que entre ciertas personas sea colocada una inmensa barrera dispuesta para conjurar toda forma de igualación. Los mecanismos discriminatorios juegan un papel, algunas veces enfático y otras sutil, para dejar fuera de la plaza pública a millones de personas; esos dispositivos son el calzón de manta utilizado por la generación contemporánea para excluir.

La desigualdad en México pocas veces es un producto del azar o la casualidad. Llega a suceder que un desastre natural, un problema grave de salud o una tragedia familiar arrojen de la noche a la mañana a una persona a vivir en la miseria; no obstante, la mayor parte de las veces la desigualdad que se vive en el país es obra de estructuras persistentes que reproducen contextos asimétricos en contra de poblaciones estigmatizadas por razones injustas.

En el ejemplo anterior, la desigualdad se produce porque una persona está en la nómina del Poder Legislativo y la otra no; porque los ingresos mensuales de la primera son quince veces más grandes que los de la segunda; porque el círculo social al que pertenece la legisladora es influyente y el de la empleada no lo es; porque con alta probabilidad la agresora pudo educarse en una escuela prestigiada, mientras que la mujer del mostrador no tuvo esa suerte. Todas estas son razones que terminan colocando a una mujer dentro de la región del privilegio y a la otra no.

Entre una y otra persona se halla ubicado un enorme *cierre social*, como Max Weber denominó a la acción conjunta de las personas que acumulan las ventajas; este cierre es una estructura que sirve para justificar la inclusión y también la exclusión a partir de ciertas categorías artificiales elaboradas por la inteligencia humana. El principal propósito del esfuerzo discriminatorio es perpetuar en el tiempo las ventajas de dominación que posee un grupo humano sobre otro: todos aquellos bienes valorados por el conjunto de la sociedad como de difícil obtención generarán pulsiones tendientes al acaparamiento, la salvaguarda de los intereses individuales y la marginación de todo aquel cuyo afán sea disputar lo que se considera propiedad del grupo aventajado.

Para funcionar con eficiencia a la hora de separar al *Mexiquito* y al *Mexicote*, el cierre social cuenta con una relojería sofisticada donde participan las instituciones formales pero también las prácticas, las tradiciones, las costumbres, los valores y un sinfín de creencias asumidas como legítimas. Citando de nuevo a José Emilio Pacheco y sus *Batallas en el desierto*, «nadie escoge cómo nace, en dónde nace, cuándo nace, de quién nace», y sin embargo tales circunstancias azarosas siguen determinando en el México del Mirreynato buena parte de la trayectoria vital de las personas.

En este contexto, el estigma hace presencia como pieza importante de la maquinaria diseñada para la exclusión. Afirma Jesús Rodríguez Zepeda —gran filósofo mexicano— que el estigma funciona como marca colocada sobre la persona destinada a vivir fuera del cierre social; se trata de un prejuicio construido a partir de una idea inflexible y por ello casi siempre equivocada.

A manera de ejemplo cabe traer aquí aquella sentencia discriminatoria que Arthur Schopenhauer dedicó a las mujeres: «Animales de cabellos largos e ideas cortas». (Vale aclarar que esta alusión tuvo en su día como destinataria a la madre del autor, Johanna Schopenhauer, una mujer famosa en su época por tratarse de una escritora muy popular y, según los biógrafos del filósofo alemán, una mujer odiada por su propio hijo).

A lo largo de la historia de la humanidad han sido innumerables los estigmas utilizados contra las personas del sexo femenino. A ellas no se les permitía votar, «porque la política las tenía sin cuidado»; no podían divorciarse, «porque no sabrían administrar las propiedades que le quitarían al marido»; no debían estudiar matemáticas «porque su cabeza no sirve para la abstracción»; no habrían de parecer inteligentes, «porque de lo contrario difícilmente encontrarían marido».

Las personas indígenas también son marginadas con frecuencia por obra de los estigmas. Como ejemplo intrigante sirven las declaraciones que hizo en julio de 2014 Nuvia Mayorga, directora de la Comisión Nacional para el Desarrollo de los Pueblos Indígenas (CDI): «Si no los supervisas, [y sólo] les das dinero, compran cincuenta borregas y a lo mejor se las reparten o se las comen en los quince años de la hija, o en la boda del hijo, o a lo mejor van a tener para comer seis meses. Les tenemos que enseñar que tienen que trabajar». Ella hace eco del prejuicio que sin fundamento califica a las personas indígenas como perezosas; llama la atención que la funcionaria de mayor rango del Estado mexicano dedicada a velar por los intereses de estas poblaciones sea la misma que promueve el discurso discriminatorio.

Otro estigma frecuente en contra de las personas indígenas es que son peligrosas o poco confiables. En la primera Encuesta Nacional sobre Discriminación (Enadis), publicada en México en 2005, aparecen algunos datos que llaman la atención a este respecto. De un lado, 43% de la población encuestada afirma que las y los indígenas tendrán siempre una limitación social por sus características raciales; del otro, 1 de cada 3 personas encuestadas afirma que, para salir de la pobreza, lo único que esta población mexicana podría hacer es «no comportarse como indígena».

El estigma termina siendo un lente a partir del cual se juzga al otro sin aportar mayor argumento o reflexión; se utiliza contra las mujeres, contra las minorías étnicas, contra el trabajo doméstico, contra las personas homosexuales, etcétera. Los estigmas pueden erigirse a partir de la manipulación de características notorias de las personas, como el sexo, el color de la piel, la edad o la discapacidad, pero también llega a nutrirse de otros elementos menos visibles, como la orientación o preferencia sexual, la religión o la ideología.

Los estigmas son pretexto para que el cierre social margine con eficacia, y ofrecen economía comunicativa a la hora de justificar ventajas y desventajas dentro y fuera de una comunidad. El sociólogo estadounidense Charles Tilly, en su libro *La desigualdad persistente*, afirma que, para funcionar, ese cierre social simplifica al máximo la comunicación y por ello organiza los marcadores en pares categoriales (mujer/varón, aristócrata/plebeyo, español/indio, católico/protestante, joven/viejo). La distinción binaria sirve a quien se ve privilegiado gracias al cierre social, y también se impone como límite interiorizado por el excluido.

Una vez institucionalizado el par categorial se multiplican los términos utilizados para designar a una persona discriminada. Sirva como ejemplo el caso de las trabajadoras del hogar; se les llama chachas, gatas, fámulas, sirvientas, domésticas, muchachas, nanas, mandaderas, asistentes y la lista continúa. En cambio las palabras para designar al empleador son reducidas: patrón, patrona, jefe y pocas más. En efecto, la persona beneficiada por el cierre social no requiere de demasiados sustantivos o adjetivos para ser nombrada.

Como argumenta Peggy McIntosh en su memorable texto «*White Privilege and Male Privilege*», la principal ventaja del discriminador es que puede sobrevivir sin tener que escuchar al otro, ignorando a grupos humanos enteros, gracias a que sus propios prejuicios son moneda suficiente e indisputable para el intercambio social.

Resulta, no obstante, un error asumir que el privilegio es una circunstancia exenta de costos. Aunque la cuna o el azar hayan sido la fuente original de las ventajas, para que éstas se prolonguen en el tiempo hay que pagar. Ya en el capítulo II de este texto se hizo referencia a los mecanismos de ostentación social que tienen como propósito proteger los privilegios; sin embargo, existen otras aduanas iguales o más onerosas para sostener el *statu quo*; por ejemplo, pagar cantidades exorbitantes con tal de vivir en una zona residencial apartada de la estética plebeya o contribuir con una colegiatura astronómica para que los hijos no convivan jamás con desaventajados sociales.

Acaso una de las principales inversiones que hacen los privilegiados del Mirreynato mexicano es aquella que sirve para perpetuar el nepotismo, esa otra cara de la discriminación que llega a ser muy gravosa para la empresa y también en la política. Y es que, en efecto, en vez de contratar a un profesional a partir de un proceso de selección que considere el mérito individual de la persona, se prefiere ofrecer el puesto al hijo, al yerno, al sobrino o al ahijado, que no siempre cuentan con el talento o la inteligencia necesarios.

El dueño de la empresa o el líder de partido prefieren pagar el costo de privarse de los mejores profesionales o los mejores políticos a cambio de colocar a su propia sangre en los cargos mejor pagados o en aquellos donde se ejerce el control sobre las decisiones importantes. Como bien hace notar Gary Becker, Premio

Nobel de Economía, en su texto *The Economics of Discrimination*, aquellas sociedades donde predomina el nepotismo —en la empresa, la política o el ejército— son las mismas donde la discriminación es una práctica extendida.

Control de las oportunidades

Si la ley y las instituciones son la llave que abre y cierra el acceso a las oportunidades, resulta obvio precisar que ellas terminan siendo el principal campo de batalla entre las facciones en pugna, por esta razón es que no debe valorárselas como espacios neutros y equilibrados donde a cada quien le toca lo que le corresponde; eso sería una ingenuidad. El derecho, la ley y el aparato responsable de aplicar la justicia son el reflejo de los grupos que controlan las oportunidades.

El Mirreynato mexicano se distingue por una fractura entre lo que dicen el derecho y la ley, por un lado, y por el otro lo que hacen las instituciones y el aparato responsable de procurar e impartir justicia. Hoy el principal problema de discriminación en México no está en las leyes sino en su aplicación, no está en la letra de los artículos sino en su interpretación, no está en el mandato que reciben los funcionarios públicos y los jueces sino en el sistema de valores y los intereses que ellos defienden. En esto el Mirreynato es distinto al régimen anterior; cabe observarlo como una variación que cuenta con un cierre social menos rígido en la letra de la ley, pero que todavía es implacable en la práctica.

Temiendo repetir algunos de los argumentos expuestos en el capítulo III, vale aquí denunciar los mecanismos que exhibe el cierre social mexicano cuando sirve para impedir el acceso a la justicia. Las tres barreras de entrada que desigualan en esta coordenada son el costo económico, el tiempo que toman los procesos y la distancia cultural que separa a las personas de los tribunales. De manera combinada, tales elementos dejan sin servicio jurisdiccional a una inmensa mayoría.

El mercado profesional de los abogados resulta impagable en un país con tantas carencias; se suma que los defensores de oficio son insuficientes y su desempeño es irregular y tendiente a lo mediocre. Por otra parte, para quienes padecen escasos recursos resulta abusivo el tiempo que se toman los juzgados y los tribunales en resolver los casos: sólo si se cuenta con libertad amplia de agenda es posible esperar a que la justicia madure sus muy tardadas sentencias. También el lenguaje de la jurisdicción mexicana ahuyenta a las personas comunes, pues está diseñado para incluir sólo a los especialistas y marginar al resto. Nada más soporífero en México que leer un expediente judicial.

Otro mecanismo eficaz para el control de las oportunidades es copar las vías de representación política. Si bien el Mirreynato es un régimen en el que, a diferencia de su antecesor, tres grandes partidos comparten el poder, lo cierto es que la pluralidad partidaria no se ha traducido en mayor participación de algunos grupos tradicionalmente marginados. A pesar de que el involucramiento de las mujeres ha crecido en el Congreso de la Unión debido a la acción afirmativa inscrita en la ley electoral, en el caso de los cabildos y las presidencias municipales, las gubernaturas y los cargos en el gabinete presidencial, los números dejan mucho que desear. Vuelvo a ofrecer las cifras que ya se argumentaron antes: hasta 2012 sólo estaban ocupadas por mujeres 6.88% de las presidencias municipales, 17.6% de las secretarías de Estado, 18.8% de los ministerios de la Suprema Corte, 22.3% de las diputaciones locales, 36.8% de las diputaciones federales y 38.4% de las regidurías.

Algo similar ocurre con respecto al cierre social que bloquea la puerta de la representación a las comunidades indígenas. En su caso, los poderes Legislativo y Ejecutivo federales son espacios donde tienen poca o de plano nula presencia; lo mismo sucede en el ámbito de los gobiernos estatales. En el Mirreynato, conforme el poder local pierde influencia política y el ámbito federal se vuelve más importante en la toma de decisiones, la representación indígena se diluye.

En México no debería sorprender que las marchas, manifestaciones y bloqueos sean la principal expresión política de las poblaciones indígenas: si contaran con una voz más potente en los espacios de representación, y en los medios de comunicación, quizá no sería necesario el desgaste que implica bloquear una carretera o caminar durante semanas hasta la capital de la República. La moral del Mirreynato dice que si esas poblaciones se rebelan, no importa cuán justa sea su causa, merecen ser quebradas con todo el peso de la autoridad; cuando hay víctimas, entonces es la comunidad —siempre salvaje y bárbara— la que debe pagar por los muertos que siembra el gobernante.

Los ejemplos para argumentar que el Mirreynato es un régimen donde la mayor parte de la población no tiene control sobre las oportunidades podrían llenar las páginas de este libro y se necesitarían varios cientos más para consignarlos todos. La desigualdad ante la ley, la política y las instituciones económicas es característica central del México contemporáneo; las varias decenas de reformas legales, la creación de nuevas instituciones o la pluralidad electoral no han servido para desterrar la persistente desigualdad de trato.

Resulta necesario dedicar algunas reflexiones a la discriminación que sigue provocando asimetría entre la sociedad mexicana por razones ligadas al género, el grupo étnico y la clase social; al hacerlo ofrezco una disculpa al lector por no dedicar mayor espacio a otras formas de discriminación que también son características del Mirreynato y que en otros escritos sí han sido preocupación principal del autor.

Discriminación de género

Gracias a las transformaciones legales y culturales antes referidas, la sociedad mexicana ha sido capaz de reconocer que una inmensa mayoría de mujeres se encuentran en situación desventajosa con respecto a los varones. No obstante esa conciencia, los hombres del país con dificultad aceptan que muchas ventajas a su disposición las obtuvieron sólo por ser personas del sexo masculino; es común que los varones, de dientes para afuera, estén dispuestos a valorar los derechos de ellas, siempre y cuando esto no implique la renuncia a sus privilegios y ventajas.

También prevalece como síntoma de la discriminación de género la complicidad que algunas mujeres construyen con sus parejas para ser maltratadas verbal y físicamente. Ya antes se hizo referencia a la manera como en ciertos circuitos de la élite, y del resto de la sociedad, las personas del sexo femenino son tratadas como mero trofeo dispuesto para la ostentación: prueba de la presión social que ellas padecen es la epidemia de bulimia y anorexia de jóvenes que se agreden a sí mismas porque viven obsesionadas por cumplir con el ideal estético que los varones de su sociedad —y también las demás mujeres— han impuesto como parte de las expresiones contemporáneas de la ostentación.

Como se verá más adelante, el matrimonio continúa siendo el principal instrumento de movilidad social con que cuentan las mujeres. El mercado del trabajo no las promueve todavía como sí suele hacerlo con los varones, más bien ocurre lo contrario: el mundo del empleo continúa siendo un terreno propicio para la discriminación femenina. Mientras que en Asia y Europa poco más del 60% de las mujeres cuentan con trabajo remunerado, en México su tasa de participación en el empleo ronda entre 43% y 45%. Esto no es un tema relacionado con la educación, ya que desde el nivel secundaria hay más mujeres que hombres en la escuela mexicana y esa tendencia se mantiene hasta el nivel universitario.

Sin embargo, el estado civil y la edad reproductiva impactan sobre la participación de ellas en el mercado laboral; un tercio de las mujeres mexicanas se reconocen como *ninis*, es decir, que *ni* trabajan *ni* estudian. Si se coloca la mirada sobre la población que tiene treinta años, sorprende ver que mientras sólo 7 de cada 100 mexicanos varones se encuentran desempleados, 32 de cada 100 mujeres de esa edad están en tal circunstancia; al parecer el mercado del trabajo las expulsa cuando mayor es la probabilidad de embarazo.

El empleo determina a su vez el acceso a otros derechos, como la seguridad social: si no se cuenta con un trabajo formal, se vive en parte excluido del sistema de salud y también de los fondos de pensión que luego asegurarían una vejez digna. De los 27 millones de mujeres que son madres, 53% no cuentan con seguridad social y 8 millones no tienen una pareja que las acompañe en la responsabilidad de los hijos.

Por otra parte, la diferencia de salario entre varones y mujeres varía entre 15% y 30%, y la mitad de las trabajadoras mexicanas no ganan más de 130 pesos diarios, cifra que equivale a dos salarios mínimos. En el mismo sentido, sólo 7 de cada 100 integrantes de los consejos de administración de las empresas nacionales son mujeres y únicamente 2 de cada 100 empresarios son personas del sexo femenino. El cierre social mexicano está diseñado para restringir el ingreso y el desarrollo profesional de las mujeres; de acuerdo con el *Reporte Brecha Global de Género 2013*, México se encuentra en el lugar 111, de 133 países analizados, con respecto a las oportunidades económicas con que cuentan las personas del sexo femenino.

Discriminación étnica

El color de la piel también es tema toral en las relaciones de la sociedad mexicana. La Enadis 2010 hace notar que la inmensa mayoría de los mexicanos cree poseer la piel más clara de lo que en realidad la tiene; al menos dos tonos en la escala de coloratura definida por el Pantone. Este fenómeno es también coincidente con la preferencia que las y los electores manifiestan a favor de representantes populares cuyo fenotipo es caucásico, o por los actores güeros que aparecen a toda hora en la pantalla de televisión.

Igual y como sucede con la discriminación por género, las personas que poseen piel clara son capaces de reconocer verbalmente como iguales a quienes no la tienen; sin embargo, difícilmente aceptarían que ese hecho les entrega ventajas; los privilegiados por el color de la piel pueden ser generosos porque saben que el racismo no les hará daño.

La fundación de la sociedad mexicana ocurrió por obra de la pólvora y las armas que azarosamente colocaron a los españoles por encima de las poblaciones originarias, las cuales en el siglo XVI en más de un tema poseían mayor civilización y conocimiento científico. Aquella derrota fue también la de un fenotipo y desde entonces los privilegios relacionados con el color de piel se han perpetuado, sobre todo entre los circuitos de la élite;

ya antes se ofreció el ejemplo de las revistas dedicadas a halagar a la alta sociedad, ahí la piel morena es una rareza extraordinaria de encontrar.

Cuenta una maestra de ballet, dedicada a organizar todos los años un festival de coreografías entre escuelas elitistas del Mirreynato, cuán frecuente es que las mamás pidan separar a sus hijas blancas de las que poseen otro color de piel. Afirma que «Hay una discriminación, un racismo impresionante, y te lo digo porque en lo que yo hago lo he visto. He visto a mamás que cuando pongo a todos mis grupos, llegan a decir: "No se junten con esas niñas, dejen un espacio...". Les digo: "Esa niña, ese grupo, pagó la misma inscripción que tú y entrenaron el mismo tiempo que tú", entonces no puedo creer que no pueda juntar a unos grupos con otros de bajos recursos, que lloran y que su experiencia ha sido terrible porque las tratan así, de verdad, fatal. De "no te acerques"».

En el México contemporáneo la ascendencia racial indígena provoca desconfianza entre la élite blanca: se trata de un potente marcador para la exclusión que termina implicando consecuencias muy injustas. Hoy la niña indígena que nace pobre tiene 50% de posibilidades de procrear, dentro de quince años, una hija igual de pobre; para ella no hay ascensor social que funcione a lo largo de su propio ciclo vital y tampoco existe uno que dé servicio entre generaciones. La mala nutrición es una epidemia que golpea también a esas comunidades: el riesgo de que un niño o una niña indígenas mueran en México por diarrea, desnutrición o anemia es tres veces mayor que el prevaleciente entre las personas no indígenas.

Cuando un mexicano perteneciente a un grupo étnico es procesado por un delito penal, no suele contar con traductores ni defensores de oficio que velen por sus derechos; diez mil hombres y mujeres pisan anualmente las cárceles en esta circunstancia de desprotección. Cuando se revisan los resultados de la evaluación educativa, el cuadro se confirma: si se es indígena, hay 40% de probabilidades de obtener las notas más bajas. Y como ya se dijo en párrafos anteriores, la política resulta el terreno donde ocurre la mayor de las exclusiones cometida contra estos mexicanos. El indígena es ciudadano de tercera en México, sobre todo porque no cuenta con ciudadanía política: la práctica dicta que sólo puede votar pero no ser votado. No está representado en los centros de poder y toma de decisiones. Los partidos lo usan para ganar el municipio, pero conforme la política se aleja de la región se le desprecia y margina de la vida nacional.

Discriminación por clase social

«Pau, un saludo a toda la bola de pendejos, que forman parte de la prole y critican a quienes envidian!..». Ese mensaje de Twitter enviado a Paulina Peña, la hija del actual presidente de México, aparentemente por su novio, levantó llamas altas en las redes sociales: cuán pocas palabras se necesitan para colocarse dentro del cierre social y desde ahí mirar con desprecio a quienes permanecen fuera. La discriminación por clase social es la más tolerada en el Mirreynato mexicano: maltratar con el estigma injusto a una mujer, a un indígena o a un extranjero merece repudio, pero suele perdonarse hacerlo con quien se percibe como perteneciente a un estamento subordinado. Llamar *naco* a una persona, ofusca, pero no tanto como utilizar otros calificativos. Y sin embargo, la discriminación de clase es una que posee gran capacidad para desigualar. El marcador de clase define el acceso al empleo y por tanto al salario y a la movilidad social; fija irremediablemente el estatus y atrapa sin concesión.

Lo curioso de este fenómeno es la dificultad que implica definir tal marcador. Cuando se estigmatiza a partir del sexo, el color de la piel, el fenotipo o la edad, entre otros indicadores obvios, resulta más fácil combatir la mecánica discriminatoria; sirve llamar por su nombre al estigma para que la lógica injusta sea exhibida y el discriminador también. Empero, ¿cómo nombrar algo cuya naturaleza es confusa y difícil de atrapar?

Como ejemplo vale preguntarse aquí qué quiere decir la palabra *naco*, que se usa en México con demasiada frecuencia y con todo es un término inasible; lo único evidente es que quien se sirve de él jamás lo aplicaría contra su persona, es decir, no se trata de un vocablo halagador ni dignificante. Puede utilizarse para criticar a otra persona del mismo estamento, pero siempre con un propósito de burla y comparación: «Te estás comportando como un naco, tu gusto es el de un naco, lo que traes puesto es una nacada». Algo tiene que ver con la idea estética, con la apariencia física, con los recursos económicos, con el color de la piel, con el tono al hablar, pero sobre todo indica una posición de clase.

Alguna definición poco confiable de esta palabra dice que viene de la fusión de dos términos: «nacido corriente» (*na-co*). Otra hipótesis es que fue inventada por un grupo de ingleses que naufragaron en México hacia principios del siglo XIX, y que provino de los vocablos «*not cool*»; luego la población residente habría traducido la expresión con su propio acento como *no-co*, y más tarde como *na-co*. Un tercer origen lo reclaman en Sonora, donde la población originaria llamaba *nacosari* a los lugares con nopales; en lengua ópata, en efecto, *naco* quiere decir «nopal». Por último, en la ciudad de México solía utilizarse la palabra *naco* para referirse a las personas nacidas en el actual municipio de Nezahualcóyotl. A todo esto, si bien puede haber duda sobre el origen del término, no hay ninguna sobre el papel actual de una palabra cuya misión es esencialmente discriminatoria.

Quien pertenezca a la clase media estaría colocado en una vaga coordenada entre la élite y «la prole», para utilizar los términos del novio de la «Pau». Digamos que la mayoría quisiera ser clasemediero y no naco, y no obstante la élite llama naco al clasemediero, el clasemediero lo hace con el proletario, y al final este último repite el parlamento contra su pariente lejano del campo pauperizado; es un juego de espejos que termina mareando.

Como el uso de esta palabra sirve para mostrar la clase, es usada como marcador eficaz para discriminar: desiguala en las oportunidades laborales, educativas y recreativas, anula los mecanismos meritocráticos. La cultura de clase mata la cultura del esfuerzo; deslava las laderas para el ascenso, el respeto y la dignidad. Todavía más: erosiona las expectativas de la persona sobre sí misma y a muy temprana edad. No resulta extraño que quien sea valorado como naco y sienta vergüenza por ello, cuando cuenta con recursos económicos intenta por todos los medios ostentar los blasones de la aristocracia contemporánea. Ya se dijo antes: los zapatos caros, el vehículo de lujo, la mujer más distinguida.

Sobre todo necesita presumir sirvientes a su alrededor: sólo quien tiene una fila de ellos en su entorno puede mostrar que está por encima de los demás. Como en los tiempos de Aristóteles, en el Mirreynato quien se gana la vida con sus extremidades —manos y piernas— tiende a ser menospreciado; son raras las personas «de la buena sociedad» a quienes el trabajo manual no les despierta una repugnancia instintiva. Lo fundamental es que alguien más se haga cargo del trabajo rudo: lavar la ropa, tender la cama, cocinar, conducir, proteger la casa, ir al banco, pagar la luz y toda la parafernalia que tanto tiempo le quita al ser humano contemporáneo, sobre todo en las grandes urbes.

Se agradece al mirrey que ofrezca trabajo a quien lo necesita, no así que la labor del personal a su servicio le merezca desprecio. La vulnerabilidad de las trabajadoras del hogar en México hace notar este contexto de innegable discriminación: 2 de cada 10 no cuentan con ninguna protección de salud (un porcentaje minúsculo está afiliado al IMSS), 4 de cada 10 trabajan más de cuarenta horas a la semana, 7 de cada 10 ganan menos de dos salarios mínimos, 8 de cada 10 no cuentan con una pensión para su retiro y 9 de cada 10 no cuentan con un contrato escrito. Dos millones de personas condenadas a vivir con dificultad en el sótano de la pirámide social mexicana; una circunstancia avalada por las leyes y tolerada por la autoridad.

Sin embargo, no importa cuánto se argumente, siempre ocurre que un coro amplio de voces se apura a desestimar la injusticia, entre ellas las buenas conciencias que, si bien resienten algo de incomodidad con este resabio de esclavitud, aseguran que en casa a la muchacha (por lo general se agrega el «mi» antes de «muchacha», para que suene más íntimo) se le trata como a una hija. «Es como de la familia», afirman: come lo mismo que los hijos, se viste con la ropa de los hijos, mira la tele con los hijos, etcétera. Tales expresiones hacen explícito lo enredado de la relación. Formalmente se trata de un vínculo laboral pero, en el lenguaje del patrón, este se viste (¿disfraza?) de conexión afectiva.

En vez de suponer que la relación con la trabajadora del hogar se deriva, por sobre todas las cosas, de un acuerdo contractual a partir del cual pueden (o no) construirse lazos afectivos, se carga de intimidad el núcleo que conecta al empleador con el empleado al punto de que terminan desdibujados —y por tanto muy ambiguos— los alcances de su principal naturaleza, que es la prestación de servicios.

No se trata aquí de desestimar la amistad y cariño que puedan producirse entre los patrones y las trabajadoras: tales emociones se generan y expresan en muchos hogares, exactamente como en tantas relaciones afectivas que tienen lugar en otros espacios laborales. Probablemente las mejores amistades de la edad adulta nacen y maduran alrededor del espacio de trabajo, pero fuera del hogar rara vez se desvanecen las fronteras que hay entre lo laboral y lo emocional como sí sucede dentro.

Una prueba de esta situación es la inexistencia generalizada de contratos formales signados entre las trabajadoras y sus empleadores. Vale la pena repetir la cifra: 9 de cada 10 trabajadoras no cuentan con un documento donde se especifiquen horarios, salario, pago en especie (alimentos, habitación), prestaciones médicas, días de descanso o retribución por horas extra. Sorprende hasta qué punto la práctica que regula esta relación es adversa a la precisión.

Habrá quien diga que la confianza es tanta que no hay necesidad de firmar un documento donde se procuren referentes recíprocos de certidumbre, pero en este caso, como en muchos otros, la familiaridad apesta, precisamente porque enreda las relaciones al punto de justificar asimetrías, injusticias, negligencias y menosprecios. Todo esto, casi siempre, en perjuicio de la parte más vulnerable de la relación.

El primo hermano de la buena conciencia que se asume generosísima con el servicio doméstico es otro sujeto que, sin tapujos, crece su autoestima dedicando horas enteras a despreciar a las trabajadoras del hogar; sus frases no hacen verano porque se repiten a lo largo de todo el año: «son unas rateras», «malagradecidas», «abusivas», «confianzudas», «ingratas».

Algún día los nietos de la actual generación mirarán este enredo afectivo, laboral, reputacional y clasista como una tara de sus antepasados. La discriminación de clase que afecta a la trabajadora del hogar hace lo mismo con quienes ejercen otros oficios manuales no calificados: ahí están los albañiles, mozos, barrenderos, jardineros, recogedores de basura, carpinteros, obreros y un largo etcétera. Son los empleos que se miran como de segunda o tercera porque supuestamente el intelecto no entra en juego, pero en realidad es así porque implican un esfuerzo físico que los integrantes de la élite no están dispuestos a permitirse.

Este es uno de los temas favoritos en los videos de graduación de preparatoria que han provocado escándalo por su frivolidad.

En esta hebra no tiene desperdicio el de la generación 2013 del Instituto Rosedal. Comienza en su primer cuadro con una dama de bien que habla en inglés a sus pupilas, todas uniformadas con falda a cuadros y playera blanca, para informarles que no cuenta con recursos para pagar la fiesta en que celebrarán el fin de cursos, por lo que les pide ayuda para conseguir dinero: «*You need to help me out*», instruye la tutora. Aquellas escolares salen disparadas del salón de clase para probarse por primera vez en el mercado del trabajo. ¿Qué empleos escogen? Sólo aquellos que estiman como distantes a su experiencia personal; los oficios en los que nunca incurrirían en la vida real. Con ello la producción hace mofa de los varios millones de personas que en México se dedican a cortar el pelo, limpiar los parabrisas de los automóviles en un cruce vial, cargar varillas en una obra en construcción, dar servicio de *caddie* en un campo de golf, atender una taquería, conducir un microbús, vender zapatos, pulir pisos, comerciar con paletas heladas, chiles y abarrotes, estacionar vehículos, tender camas de hotel o bañar perros ajenos.

Este ejercicio visual prueba que esas jovencitas no nacieron para el universo de los oficios despreciables: una respinga la nariz frente al olor de un chile seco, otra es incapaz de tallar el vidrio de un parabrisas, a la tercera le da asco cargar unos zapatos, a otra le sucede lo mismo cuando limpia una mesa de fonda. El lenguaje corporal es explícito: las chicas no están destinadas a experimentar los oficios nacos, salvo en ese video que sirve para burlarse de ellos y conjurar la remota posibilidad de que una situación así les ocurra. El corto termina cuando la maestra felicita a sus sacrificadas estudiantes por el dinero obtenido con sus trabajos de tercera, y anuncia que llegó el tiempo de festejar. Siempre se dirige a ellas en inglés, obviamente.

La pieza es perfecta para describir aquello que Veblen llamaba, a finales del siglo XIX, la distinción entre la clase trabajadora y la clase ociosa, o en términos de Gary Becker, la frontera entre los empleos bien remunerados y los que son entregados a las personas discriminadas. En el México del Mirreynato los salarios bajos y la falta de oportunidad se concentran justo en esa lista de oficios que las chicas del Rosedal representaron en su parodia: son los empleos del sector servicios que anualmente exhiben indicadores decrecientes de productividad y, por tanto, hunden a la baja los ingresos de quienes los ejercen. Lo grave del asunto es que aproximadamente 60% de la población mexicana se encuentra en ese apartado económico donde, por cierto, las mujeres y los jóvenes suelen ser mayoría.

Esta geografía laboral coincide en coordenadas con la economía informal, es decir, con los empleos que, como el de la trabajadora del hogar, no cuentan con prestaciones sociales. Habrá quien quiera argumentar que este fenómeno tiene una causa sólo económica, y a pesar de ello el cierre social que lo produce va más allá de ese campo. Vale la pena preguntarse cuál sería el salario de una persona si no estuviera socialmente marcada por el hecho de ser mujer, indígena, morena, «naca», sin educación, sin herencia, en fin, sin los privilegios que el Mirreynato entrega sólo a sus hijos predilectos.

La cuestión principal radica en que ser víctima de la discriminación antecede y determina la obtención de los ingresos; luego, el salario insuficiente fija la posición de la persona dentro de un estamento o clase social que, en revancha, vuelve a convertirse en argumento para la desigualdad. Se trata de un círculo vicioso que sólo podría romperse si los ingresos de la persona se multiplicaran. En efecto, así como la riqueza es el instrumento del privilegiado para tomar distancia con el resto de la sociedad, también el ingreso podría ayudar a la persona discriminada a dejar de serlo. De ahí que, aunque sean fenómenos distinguibles, la discriminación esté estrechamente vinculada con la desigualdad económica.

Este capítulo estuvo dedicado a analizar el cierre social del Mirreynato desde el punto de vista de la desigualdad de trato; bordó sobre aquellas asimetrías injustas y sistemáticas que operan desde el plano simbólico sobre las leyes, las instituciones, el Estado y la economía. Sin embargo, ese aparato dentado tiene —como el Jano bifronte de los romanos— otra forma de desigualdad idénticamente excluyente: la desigualdad económica, o más precisamente, la desigualdad en el ingreso que distingue entre las personas.

No es posible comprender el funcionamiento del cierre social si no se observan ambas estructuras: la que se deriva del discurso menospreciante, del ejercicio discontinuo de la ley, del estigma y los prejuicios, y que en su conjunto opera para promover la desigualdad de trato —sinónimo de discriminación—, y la otra desigualdad, que tiene como origen las diferencias en el ingreso y los recursos estrictamente económicos.

El siguiente apartado estará dedicado a explorar las diferencias prevalecientes en la economía mexicana que profundizan la distancia entre los habitantes del último piso de la estructura social y aquellos que no cuentan con oportunidad alguna para abandonar el sótano de ese mismo edificio por razones relativas a su ingreso individual o al de su familia.

VI
Desigualdad

Una casa grande del barrio

El Mirreynato mexicano no sucede como un hecho aislado del resto del mundo: varios de sus síntomas más evidentes comparten coincidencia en otros países. Y es que la desigualdad económica y la debilidad de las instituciones democráticas son manifestaciones de una epidemia que recorre el mundo; por este motivo resulta razonable mirar a México en la perspectiva internacional con el objeto de separar aquello que le es propio de lo que se vive como parte de un fenómeno más amplio.

Cabe para ello pensar al mundo con la metáfora de un conjunto residencial integrado por 194 casas, cada una de tamaño distinto y con un número variable de habitantes. En ese asentamiento heterogéneo el edificio mexicano cuenta con un terreno grande —casi 2 millones de kilómetros cuadrados—, el número catorce si se compara con el resto de los predios. De acuerdo con la cuenta actualizada, viven ahí 119.55 millones de personas, entre las cuales 52 millones están listas para trabajar. Por el porcentaje que tiene de población económicamente activa, este país se halla en el lugar 12 en importancia. Ese mismo número 12 lo tiene esta nación por el tamaño de su riqueza: 1.7 billones de dólares anuales.

Si estos datos ya le otorgan un lugar privilegiado a la casa mexicana, es también argumento relevante que su lindero coincida con la mansión más grande y rica del conjunto residencial. México tiene más de tres mil kilómetros de línea fronteriza con Estados Unidos y además comparte con ese país una población que, a pesar de muchas tensiones, mantiene familiaridad con la vida cotidiana de ambas residencias.

Por estas razones es que el sociólogo francés Alain Touraine solía decir a sus alumnos que México no puede ser considerado como un país pobre. Por el tamaño del terreno donde está construida la edificación, por el número de personas que la habitan, por la talla de su fuerza laboral, por su riqueza y por la oportunidad que puede derivarse de tener un vecino poderoso, México pertenece a la clase media del planeta Tierra.

Lo anterior, sin embargo, no resuelve el más lamentable de sus pecados: la desigualdad. En efecto, se trata de un país que no es pobre sino trágicamente desigual y por eso tantas personas que viven dentro de esa casa padecen pobreza.

Las razones que explican la desigualdad son varias y juntas conspiran para que sea persistente: tasa de crecimiento pobre, concentración de la riqueza, Estado ineficaz para redistribuir el ingreso, inversión pública insuficiente, corrupción dentro del gobierno, funcionarios codiciosos, precio del salario subvaluado, niveles bajos de productividad en los sectores rural y de servicios, informalidad y precariedad del empleo, acceso limitado al crédito, división étnica, sexual y por edad en los puestos de trabajo y una grave asimetría regional.

La lista de razones es larga y para recorrerla tiene sentido comenzar con los argumentos relativos a la dinámica que el país comparte con el resto del planeta, para luego proceder con las características de la desigualdad que son sólo mexicanas.

La casa número 12 que no lo es

En 2013 México alcanzó una tasa de crecimiento pequeña; logró apenas un incremento, con respecto al año anterior, de 1.2 puntos porcentuales de su Producto Interno Bruto (PIB). Esta cifra ubicó al país en el lugar 170 de todo el conjunto residencial. Tiene algo de inadecuado que la economía número doce del mundo ocupe ese casillero con respecto al incremento de su riqueza, sobre todo cuando el número promedio mundial de ese año fue de más del doble (3.1%). Sudán, Sierra Leona, Turkmenistán y Paraguay se situaron en los primeros lugares del conjunto residencial.

Cuán lejos se encuentra el país de su cifra récord, lograda en los años sesenta del siglo pasado, cuando el crecimiento económico alcanzó más de 11% anual; todavía se añoran aquellos tiempos gloriosos que corrieron desde la Segunda Guerra hasta 1980. Otras economías del conjunto obtuvieron durante la misma temporada un indicador similar: fue jauja para europeos, asiáticos y latinoamericanos. Thomas Piketty —autor de *El capital en el siglo XXI*, que en este apartado será citado varias veces— advierte que ese comportamiento de las economías se debió a que los países más rezagados entraron en una fase donde el desafío era converger tecnológica y económicamente con Estados Unidos. Asegura que las tasas de 3% y 4% de crecimiento anual sólo ocurren cuando una economía está en proceso de alcanzar a otra: es el caso ahora de China, Brasil o India con respecto al resto del mundo desarrollado.

Una vez que se logra la convergencia, el ritmo de crecimiento se ralentiza, de ahí que sea difícil volver a observar tasas promedio de crecimiento que rebasen el 1.5%, como en los países europeos, Japón o Corea. Piketty no observa el caso mexicano pero cabe suponer que, al menos en el norte del país —la región fronteriza que hace lindero con la economía de Estados Unidos—, no podrían verse otra vez indicadores grandes. Chihuahua, Tamaulipas, Baja California, Sonora o Nuevo León han logrado una convergencia tal que difícilmente experimentarían de nuevo tasas de 3% o 4%, caso contrario al de los estados de Chiapas, Guerrero, Oaxaca o Tabasco: si toda la casa mexicana un día vuelve a rebasar la tasa de 3% será porque esas regiones del sur y sureste del país lograron un crecimiento anual de 6% o 7%. De lo contrario, habría de aceptarse resignadamente como normal la cifra de 2013.

Afirma también Thomas Piketty que el capital se va concentrando en la medida en que la economía se desacelera: la falta de crecimiento hace que la proporción entre la riqueza de unos y el ingreso salarial de otros pierda equilibrio. Resulta cierto que en todo el barrio están sucediendo ambos fenómenos en simultáneo: el capital se concentra y la tasa de crecimiento no levanta. Y nada indica que las cosas vayan a cambiar pronto.

Durante el mes de enero de 2014, la organización internacional Oxfam publicó un reporte denominado *Gobernar para las élites*, donde se advierte que el 1% más rico de la población mundial (algo así como 7 millones de seres humanos) ostenta una riqueza 65 veces mayor a la que posee la mitad de la población de la Tierra (3 500 millones de personas). Puesta esta realidad de una manera aún más dramática, el reporte asegura que únicamente 85 personas, las más ricas del planeta, cuentan con un capital igual al que poseen esos mismos 3 500 millones de seres humanos. Desde 1980 a la fecha, no sólo en México sino en todo el mundo han crecido la pobreza y la desigualdad, al tiempo que unos cuantos se enriquecieron sin contención.

Afirma también este informe que 7 de cada 10 seres humanos viven en países donde la desigualdad se ha multiplicado. Cita Oxfam un documento de Credit Suisse donde se argumenta que, mientras 10% de la población mundial controla alrededor del 86% de la riqueza, el 70% menos aventajado se las tiene que arreglar con sólo 3% de la producción mundial.

Thomas Piketty argumenta que esta realidad no es nueva para la humanidad: hacia finales del siglo XIX y principios del XX la distribución del capital en el mundo era igual de asimétrica, un núcleo reducido de fortunas se beneficiaba entonces de la mayor parte del capital existente. Sin embargo, la Gran Depresión de 1929, las dos guerras mundiales y las políticas sociales que se emprendieron en casi todo el orbe para recuperar lo extraviado por los conflictos bélicos hicieron que dentro de los países se atemperara la desigualdad.

Sin embargo, a partir de los cambios de principios de los años ochenta en la política económica —impulsados sobre todo por los gobiernos estadounidense de Ronald Reagan y el británico de Margaret Thatcher—, la tendencia concentradora de la riqueza volvió a parecerse a la que había a principios del siglo pasado. La razón que Piketty ofrece para explicar este fenómeno convirtió su libro antes citado en un *bestseller* internacional: «Cuando la tasa de retorno del capital excede la tasa de crecimiento, tal y como sucedió en el siglo XIX y muy posiblemente vaya a suceder de nuevo en el XXI, el capital genera automáticamente desigualdades arbitrarias e insostenibles».

Este autor resume su hipótesis con una representación sencilla: *R* > *G*, donde «R» representa la renta extraída del capital y «G» la tasa de crecimiento. La propuesta es simple y no se necesita ser economista para comprenderla. Si el dueño de una unidad productiva retira ganancias (R) en una cantidad superior al crecimiento de su empresa (G), no pasará tiempo antes de que el negocio naufrague. Pues algo similar está sucediendo con las economías del planeta: mientras la tasa promedio de crecimiento es de entre 1.2% y 1.5%, quienes tienen el capital retiran todos los años como ganancia alrededor de 4%. No hay economía que aguante esa circunstancia.

México no está exento de tal dinámica. Se sabe que la tasa de crecimiento es de las más bajas en el mundo y puede intuirse que el retorno de capital es, en el mejor de los casos, similar al promedio internacional. Cabe aquí aclarar que no es posible conocer con precisión este último dato ya que, a diferencia de Francia o Inglaterra —donde la información sobre el pago de las contribuciones es pública—, en México está reservada por el Servicio de Administración Tributaria (SAT). Este es un tema que se revisará más adelante.

Para aproximarse a los datos de la desigualdad, por lo general se utiliza un indicador conocido como el coeficiente GINI, en honor al economista italiano que lo inventó. Según este indicador, si todas las personas poseyeran exactamente la misma riqueza, el coeficiente sería igual a cero. En revancha, si una sola persona controlara el capital total de la economía, tal cifra sería igual a uno. Según el reporte *Global Finance*, México se encuentra en el lugar 108 del mundo con respecto a su coeficiente GINI, que ronda el 0.48. De acuerdo con la misma medición, la casa más igualitaria del conjunto residencial sería Suecia, con 0.25, y la peor Seychelles (un país ubicado en el océano Índico), con

0.65. Dentro del subcontinente latinoamericano, Perú, Argentina y Nicaragua estarían en mejor circunstancia que México; en contraste, son aún más desiguales Guatemala, Honduras, Panamá, Colombia, Bolivia, Chile y Brasil. Para contar con una mejor perspectiva, cabe decir que Estados Unidos muestra un GINI de 0.40.

Ahora bien, es posible medir la desigualdad de una economía antes de la intervención del Estado —previo a que cobre impuestos, realice transferencias a favor de la población o ejerza el gasto público—, y hacerlo después de que suceda la acción del gobierno. La gran mayoría del conjunto residencial mejora su coeficiente GINI gracias a la tarea gubernamental: sirva como ejemplo España, país que exhibe un coeficiente de 0.46 antes de que el Estado cobre impuestos, y de 0.31 después de que ocurren las transferencias y se ejerce el gasto gubernamental. Bélgica, Australia, Finlandia o Eslovenia exhiben variaciones en su GINI antes y después de la intervención estatal que llegan a ser de hasta 44%. El promedio de corrección entre los países integrantes de la OCDE es de 14.4%.

Sin embargo, el caso mexicano es extraño: la mejoría es de sólo 1.8%. Su coeficiente es prácticamente el mismo antes y después de la acción del Estado. Corea del Sur muestra un comportamiento similar pero cabe decir que su GINI antes de la intervención estatal es de 0.34 y baja después de ella a 0.31. De todas las economías que integran la OCDE, la mexicana es la que muestra el peor desempeño del Estado a la hora de corregir desigualdades.

La mayor vergüenza proviene de la incapacidad para cobrar impuestos. De acuerdo con el *Factbook* que anualmente publica la Agencia Central de Inteligencia de Estados Unidos (CIA), México se encuentra en el lugar 148 entre los países del planeta cuando se le compara por su tasa real de recaudación, la cual es de 21.9% de su producto. Nuevamente cabe preguntarse, ¿cómo es posible que la economía número doce se halle en el lugar 148 del orbe con respecto a la recaudación hacendaria?

El promedio en el mundo es de 29% del PIB. Groenlandia, Cuba, Kuwait, Lesoto, Noruega, Dinamarca y Francia ostentan las tasas más elevadas, con alrededor de 50%. En revancha, las de Sudán del Sur, Nigeria, Birmania y Puerto Rico están entre las más bajas, y México se halla mucho más cerca de los segundos países que de los primeros.

También la diferencia es dramática si se compara a México con otros países latinoamericanos: de acuerdo con la misma fuente, Bolivia cuenta con una recaudación del 48.8%, seguido por Ecuador con 40.5% y Brasil con 38.9% del PIB.

Resulta obvio que, sin cobrar impuestos, la inversión en educación o salud tienden a ser insuficientes, y los datos lo corroboran. De acuerdo también con el *Factbook*, si se considera el total de la inversión mexicana en educación —5.1% del PIB—, el país se ubica en el lugar 72 de las naciones. Lesoto y Cuba encabezan la lista de los países más aplicados en esa materia con una aportación anual promedio de 13% del PIB; en América Latina también destacan Venezuela, Bolivia, Argentina, Costa Rica y Brasil por encima de México.

Esta realidad se refleja igualmente en el gasto para salud, ahí México se ubica en el lugar 97; sólo se invierte en este rubro 6.4% del producto. Cuba y Nicaragua son los países latinoamericanos que muestran mayor inversión en salud porque asignan alrededor del 10%. Les siguen Paraguay (9.7), Honduras (9.1), Brasil (8.9), Panamá, Argentina y Uruguay (8).

Estos datos incomodan. No se necesita mucho para constatar la incongruencia que significa poseer un territorio lo suficientemente grande, una ubicación geográfica privilegiada y una población trabajadora relevante, y sin embargo mostrar un desempeño mediocre en la economía y la distribución del capital. El problema radica en el papel jugado por el gobierno mexicano a la hora de cobrar impuestos, gastar la hacienda pública y transferir recursos a quienes más los necesitan. Si, como los libros de bachillerato recuerdan, el Estado es la suma que conjuga territorio, población y gobierno, resulta obvio dónde está el problema.

Las instituciones públicas mexicanas se han diseñado para que la estructura de oportunidades favorezca a unos cuantos y deje marginada a la gran mayoría; así fue en el pasado con Porfirio Díaz, y así lo está siendo de nuevo durante el Mirreynato. Ambos son regímenes que tienden al privilegio y el cierre social sin que su población más numerosa haya sido capaz de modificar tal circunstancia, aun si en esta etapa histórica del país el voto debería servir para contener la administración injusta del ingreso que hacen las minorías económicas de la casa mexicana.

Injusticia dentro del edificio

En México viven alrededor de 119.5 millones de personas. Con el propósito de explicar la manera en que se distribuye la riqueza entre ellas, vale ahora representar al país como un edificio multifamiliar de diez pisos. En cada nivel residirían alrededor de 3 229 000 familias, es decir, un décimo del total de los hogares mexicanos. En promedio, cada uno de esos hogares está habitado por 3.7 personas, de las cuales 2.4 perciben algún tipo de ingreso y al menos un integrante tiene menos de catorce años. El jefe o la jefa de la familia rondan los cuarenta y ocho años.

Las familias más ricas se alojan en el *penthouse* y las más pobres en la planta baja. Los que habitan el último piso del edificio se mantienen de la renta que producen sus inversiones, aunque a veces su salario también importa; las familias de la planta baja viven sólo de su trabajo y los hogares de en medio mezclan ambas fuentes en sus entradas. De acuerdo con la Encuesta Nacional de Ingreso y Gasto en los Hogares 2012 (ENIGH), mientras 46% de la riqueza del país se queda en el último piso, a las familias del primer nivel sólo les toca 0.3%.

En los párrafos que siguen se hará una descripción de los individuos que viven en los distintos pisos de esta estructura social a partir de los ingresos que perciben. No es tarea fácil aproximarse a la desigualdad en México porque los datos son imprecisos, sobre todo cuando se trata de averiguar cuánto ganan quienes habitan en el *penthouse*.

Según la ENIGH 2012, los hogares del nivel más alto cuentan con un ingreso promedio de 44 334 pesos mensuales. Esta cifra podría parecer alta si se piensa en el sueldo de un profesor universitario, y pequeña si se compara con el ingreso de Carlos Slim

Helú, cuya fortuna ronda los 79 600 millones de dólares; sin embargo, por el método que utiliza el Instituto Nacional de Estadística y Geografía (Inegi), los ingresos de ese docente y los del empresario se confunden junto con los de los actores más famosos de Televisa, los del director general de Pemex, los de la conductora más célebre de la radio, los del presidente de la Comisión Nacional de Derechos Humanos o los de los diputados federales. De manera inadecuada, todos son reportados dentro de un rango de percepciones que oscila alrededor de la misma cantidad.

Esa medición no deja satisfecho a nadie. Obviamente cuentan con mayores entradas personas como Germán Larrea Mota, accionista mayoritario del Grupo México, Alberto Baillères González, dueño de Industrias Peñoles, Ricardo Salinas Pliego, propietario de Elektra, o Emilio Azcárraga Jean, patrón de Televisa, mexicanos todos que han sido distinguidos por la revista *Forbes* como millonarios del mundo.

¿Cómo distinguir entre los muchos y distintos habitantes del piso 10? ¿Cuánto gana, por ejemplo, el 1% de la población mexicana que se encuentra hasta arriba de la estructura social, en comparación con el 5% o el 10% más ricos? En México no es fácil saberlo porque las familias con mayores recursos prefieren no abrirle la puerta al entrevistador del Inegi cuando éste acude a levantar datos económicos; en últimas fechas la inseguridad ha sumado argumentos para que las puertas permanezcan cerradas con triple candado.

En otros países hay solución a este problema: los investigadores pueden revisar las declaraciones de los contribuyentes porque son públicas. La autoridad hacendaria está obligada a informar sobre los montos del impuesto sobre la renta tanto de las empresas como de las personas físicas. Esto no quiere decir que se hagan públicos los nombres de los causantes, sólo los datos generales que permiten radiografiar los distintos parámetros de recaudación.

En México, sin embargo, esta información es confidencial. Los economistas Raymundo Campos, Salvador Chávez y Gerardo Esquivel hicieron en 2013 una solicitud al SAT para conocer datos agregados a propósito de las declaraciones de impuestos, pero la información les fue negada. Insistieron después con una petición ante el Instituto Federal de Acceso a la Información (IFAI) y corrieron con idéntica mala suerte.

A diferencia de la mayoría de las democracias del mundo, la autoridad argumentó que tales datos eran de naturaleza privada. Cabe aclarar que en otras partes suele borrarse el nombre de los contribuyentes pero se hace público el monto de las contribuciones; tal cosa permite mayor vigilancia sobre el manejo hacendario del gobierno. Pero en México la frontera entre lo público y lo privado siempre es difusa.

Para resolver el escollo, estos mismos investigadores manipularon con rigor estadístico los datos de la ENIGH 2012 y los compararon con las cuentas nacionales. Sus resultados fueron publicados a principios de 2014 en un texto novedoso —«Los ingresos altos, la tributación óptima y la recaudación posible»— donde pueden distinguirse las entradas no sólo de los habitantes del último piso, sino de los distintos apartamentos que conviven en ese nivel.

Partieron estos investigadores de una primera premisa: los ingresos de los individuos que habitan en el *penthouse* suelen ser 15% más altos en comparación con la cifra que ofrece la encuesta levantada en los hogares. Para ayudar a la comprensión sobre la manera en que está distribuida la riqueza en el piso 10 —a caballo con las reflexiones de Campos, Chávez y Esquivel—, se seleccionaron aquí cinco rangos distintos de ingreso individual. En el departamento A, situado en la parte más alta del edificio social, se halla 0.01% de la población (3 229 hogares). Le sigue el departamento B, donde habita el 0.1% (32 297 hogares); luego el C, donde se halla el 1% de las familias más ricas (322 972 hogares); después el D, donde se encuentra el 2% (645 944 familias) y al final el E, lugar de residencia del 5% de los hogares con mayores ingresos del país (1 614 860 familias). Entre uno y otro departamento hay varios más cuyas entradas no son analizadas aquí porque con estos cinco grupos es posible obtener información suficiente para el análisis. Cabe insistir en que, en total, en el piso 10 viven 3 229 000 familias (aproximadamente 11 950 000 personas), 10% del total de la población mexicana.

Las cifras que se proporcionan a continuación, y que se obtuvieron gracias al trabajo de Campos, Chávez y Esquivel, remiten a los ingresos que los individuos obtienen por mes. En el departamento A las percepciones rondan los 2 534 000 pesos mensuales; se trata de los mexicanos que comparten vecindad con las nubes. Luego les siguen los del departamento B, cuyas entradas suman 646 794 pesos. En el C, lugar donde reside el 1% *top*, los ingresos promedian 165 067 pesos; el 2% *top*, que vive en el D, tendría percepciones por 109 425 pesos y el 5% *top* del E obtendría aproximadamente 63 547 pesos mensuales.

En el piso 10 también viven algunos asalariados con gran suerte; por ejemplo, el director general del banco BBVA-Bancomer de México cuenta con un ingreso de 2.5 millones de pesos y su homólogo de Citigroup para México y Latinoamérica percibe poco más de 8 millones de pesos, ambos al mes; estas cifras las obtuvo el economista Miguel del Castillo y las dio a conocer en un artículo publicado en la revista *Este País* de enero de 2012, dedicado a la desigualdad mexicana.

Dentro del piso 10 también se encuentran los altos funcionarios del Estado mexicano, por ejemplo los ministros de la Suprema Corte, quienes cuentan con un salario mensual promedio de 347 000 pesos netos, y no muy lejos de ellos estarían el presidente del Instituto Nacional Electoral (INE), con alrededor de 182 000 pesos mensuales, o el de la Comisión Nacional de Derechos Humanos, quien ronda los 203 000 pesos, también por mes.

En una sociedad donde la posesión del dinero pareciera ser la única prueba irrefutable del éxito, los altos funcionarios públicos no quieren perder oportunidad para crecer su fortuna gracias al cargo o los negocios que derivan del puesto. Para quien se interese en el tema de los salarios en el gobierno vale la pena revisar el libro *Uso y abuso de los recursos públicos,* coordinado por Carlos Elizondo y Ana Laura Magaloni y publicado en 2013 por el CIDE.

Mirando estos números salta a la vista la desigualdad que existe incluso dentro del nivel más alto del edificio social. La diferencia en el ingreso entre los que residen en el departamento A y los del E es de 39 veces; se vive distinto si uno percibe 2.5

millones de pesos al mes que si el ingreso es de 63 000 pesos mensuales. Aún más impresionante es la asimetría cuando se contrastan estos ingresos con los que obtienen quienes habitan en los nueve pisos restantes. Los individuos del departamento A tienen una entrada doscientas veces superior a la media de ingresos percibidos por los hogares mexicanos, y 1 086 veces mayor si se contrasta con los ingresos de las familias que habitan en la parte más baja del edificio. Justo a la mitad de la construcción las entradas por mes rondan los 12 077 pesos mensuales por familia, y en el primer piso la entrada por hogar es de 2 332 pesos también por mes.

Los habitantes del piso 10 suelen justificar su suerte argumentando que el ingreso es el premio al esfuerzo y el talento personal; son ricos porque se lo merecen. Sin embargo, es razonable dudar de esta afirmación, comenzando porque la herencia y las donaciones en vida juegan por tradición un papel grande en la obtención del capital que se acumula en la parte alta del edificio. Como decía un sociólogo estadounidense de los años cincuenta, C. Wright Mills, «la mayor parte de los muy ricos, al nacer, se han encontrado [con] que ya otros habían dado el gran salto por ellos». O como con frecuencia se escucha en Estados Unidos bajo la forma de una pregunta popular: «*Which is the fastest way to build a small fortune? Starting from a large one*» (¿Cuál es la mejor manera de construir una fortuna pequeña? Comenzar por heredar una grande). La herencia, en efecto, continúa siendo un mecanismo desigualador y probablemente injusto que perpetúa las asimetrías entre los pisos y también entre los departamentos. En México, el impuesto sobre los legados y donaciones es notablemente más laxo que en otras partes del mundo.

Cuando se observa con crudeza esta realidad, deja de llamar la atención que sean los habitantes del *penthouse* quienes más vociferan cada vez que se propone una reforma fiscal que podría afectar sus rentas. Son los mismos que señalan con indignación cuando se plantea subir el monto del salario mínimo y los que piden bajar el presupuesto público hasta que no se resuelvan los problemas de corrupción; son también los que desprecian la organización sindical, los que exigen que se reprima a los manifestantes porque ensucian las calles y los que acusan de populista a todo aquel que quiera hacer política utilizando como bandera la enorme desigualdad social.

Todos ellos cuentan con recursos de sobra para frenar e incluso comprar al poder público. Los que viven en los departamentos A, B y C pueden fijar los términos del debate y la negociación política porque los operadores del Estado carecen de fuerza para combatir sus intereses; cuentan, por cierto, para ello con el servicio de los mejores doctores en economía y otras ciencias sociales que, no por azar, habitan en los departamentos D y E del nivel 10.

En un país donde la impunidad se compra con recursos provenientes de la corrupción y donde discriminar tiene pocos costos personales, sociales o políticos, ser parte del *penthouse* es todo un privilegio, pero sobre todo es una circunstancia que difícilmente puede cambiar.

En el piso 9 vive la clase media alta mexicana. Todavía de acuerdo con los cálculos de Campos, Chávez y Esquivel, los habitantes de ese piso ingresan, en lo individual, alrededor de 42 126 pesos por mes. La clase media se encuentra entre los pisos 8 y 4. En el nivel octavo, de acuerdo con la ENIGH 2012, el ingreso por familia cae a 14 949 pesos mensuales, en el séptimo es de 11 856, en el sexto 9 620, en el quinto 7 971 y en el cuarto 6 505 por familia. Cabe decir que, a diferencia de las comparaciones anteriores, la distancia en ingresos entre un hogar residente en el piso 8 y otro del nivel 4 es sólo de 1.8 veces, un parámetro ciertamente más justo que el observado antes entre los habitantes del último nivel y de éstos con el resto del edificio. En efecto, existe mayor igualdad dentro de la clase media que en las demás coordenadas de la residencia mexicana.

Contra lo que algunos profetas interesados han querido afirmar, la clase media ha padecido un proceso de reducción y empobrecimiento, sobre todo por las crisis económicas de 1982, 1994 y 2009. Buena parte de los activos que tenían las familias residentes de la parte intermedia del edificio se vendieron para salvar el ingreso y mantener así un ritmo de vida que implica demasiada exigencia.

Habla en entrevista una madre de familia que ayuda a ilustrar la situación: «Es pecado mortal hablar de que a tu marido le está yendo mal, eso no existe. Tú sabes que la estás pasando muy mal y a las amigas no les cuentas porque eso quiere decir que el marido es un *loser* [perdedor], ¡está muy cañón! En verdad, veo a las amigas desesperadas, buscando qué hacer, fabrican pulseras o venden *tuppers* y hacen desayunos en casa para vender productos de belleza y joyitas. Ahora se ha puesto de moda organizar fiestas, en fin, las mamás tratan de sacar dinero de donde pueden para ayudar al gasto».

En una sociedad donde el clasismo es implacable, la sola idea de la caída es aterradora; hay que aferrarse con uñas y dientes para no descender y jamás permitir que los hijos lo hagan. Ese miedo explica algo del resorte discriminatorio mencionado en el capítulo anterior. Señalar al otro como naco —o como «asalariado de mierda», al estilo de las Ladies de Polanco— sirve como mantra que permite al sujeto, al menos en su imaginario, tomar distancia de la perspectiva del descenso social: «Si yo levanto la ceja y hablo con repugnancia de tu vida es porque en algún lugar temo que tu circunstancia termine siendo la mía». Este mecanismo se observa con frecuencia dentro del fenómeno del *bullying*: el agresor suele verse acompañado de una corte cuya principal razón para agredir es distanciarse lo más enfáticamente posible del agredido.

Acaso si hubiese mayor empatía con los que tienen menores recursos o si existiera la convicción de que en México se puede salir de una situación económica desventurada gracias al esfuerzo personal, entonces probablemente el clasismo sería menor y el horror que provoca la vida del otro dejaría de ser tan grande. Pero esa fe está extraviada y con razón: la dificultad para abandonar la pobreza es mucha en este país. No hay suficientes escaleras para una inmensa mayoría de mexicanos. Este será el tema del próximo capítulo.

Antes hay que revisar lo que sucede en la parte baja del edificio. En el piso 3 los ingresos por familia rondan los 5 244 pesos, cifra que dividida entre 3.7 personas da una percepción por individuo de aproximadamente 1417 pesos mensuales, es decir, 47 pesos diarios. Esa cantidad no alcanza para cubrir las necesidades de alimento, vivienda, vestido, transporte, educación y salud. Y son poco menos de 12 millones de personas las que se encuentran en esa circunstancia. Pero en el edificio mexicano hay todavía dos niveles abajo donde la situación es peor. Las y los mexicanos del segundo piso cuentan con 35 pesos diarios por persona para cubrir sus requerimientos básicos, y los del primer nivel, apenas con 21 pesos por día. En promedio, los casi 36 millones de individuos condenados a la parte baja de la pirámide cuentan con 34 pesos de ingreso cotidiano para enfrentar mal sus carencias. No es extraño entonces que esta población tenga problemas serios para alimentarse; 8 millones de familias en México registran un consumo insuficiente de nutrientes y sus integrantes llegan a padecer hambre. La anemia es un problema persistente en los niños menores de cuatro años, sobre todo si viven en poblaciones campesinas indígenas menores a los cinco mil habitantes.

De acuerdo con el Consejo Nacional de Evaluación de la Política de Desarrollo Social (Coneval), entre 2008 y 2010 el porcentaje de personas que no pueden alimentarse de manera conveniente creció de 21.7% a 24.9%. Es decir, que la desnutrición alcanzó a la mayoría de los habitantes de los pisos 1 y 2. No sobra insistir en que entre los marginados predominan las mujeres, las personas indígenas, los habitantes del sur y el resto de una población que el privilegio social del Mirreynato no considera como parte de su misma comunidad. La distancia entre el departamento A del piso 10 y el último hogar residente en el primer piso no sólo es económica sino moral y afectiva. No se puede explicar, sin antes sentir vergüenza, cómo es posible que en el mismo país una familia cuenta con ingresos de 2.5 millones de pesos y otra de 2 300 pesos mensuales. Indiferencia es el nombre del elevador que conecta los distintos niveles de esta construcción piramidal tan asimétrica.

El salario tiene la culpa

7 de cada 10 mexicanos están convencidos de que el edificio social donde viven no es responsable de su situación económica

personal. De acuerdo con el informe *Movilidad Social en México 2013*, del Centro de Estudios Espinosa Yglesias (CEEY), esas personas creen que la pobreza tiene que ver con características individuales. Como argumento para explicar este fenómeno se dice que el problema proviene de la «flojera» de algunas personas, de la falta de educación o la dificultad para encontrar un empleo.

Si se revisan los datos de Latinobarómetro, resulta que 6 de cada 10 personas entrevistadas en México están persuadidas de que el Estado no puede hacer nada para resolver la pobreza. Este dato es coincidente con el anterior: si el Estado no sirve, sólo queda entonces el esfuerzo personal, que ciertamente tampoco ha funcionado para apartar a las personas de la marginación.

Ya se dijo antes, cuando se observa la distribución del ingreso que tiene México antes y después de la intervención del Estado, es posible constatar que este no ha sido eficaz para resolver la desigualdad. Entre la gente no hay esperanza de que las instituciones gobernantes y su músculo hagan algo a favor de la vida cotidiana de quienes viven en la parte baja del edificio mexicano.

De acuerdo con Latinobarómetro, 76 de cada 100 personas opinan que en México no se gobierna para todo el pueblo, 63 creen que el gobierno nunca los ha beneficiado y 50 de cada 100 piensan que los legisladores y otras autoridades sólo velan por sus propios intereses. En este contexto no sorprende que poco más de la mitad de los mexicanos se consideren insatisfechos con la democracia de su país.

Acaso la desconfianza más grande se produce por la convicción de que, aun si en México hay elecciones frecuentes en las que participan varios partidos, las preocupaciones de la mayoría gobernada no suelen ser las mismas de la minoría gobernante. O dicho en otros términos, se mira con recelo a la gente que habita en los últimos pisos porque su indolencia tiende a ganar el debate público y, con frecuencia, triunfa sobre el sentido de las leyes y las decisiones que toma la autoridad.

Un hecho reciente que puede servir para documentar la indolencia referida es la discusión pública sobre el monto del salario mínimo. No es novedad para los economistas que este tenga un papel esencial en la estructura de las desigualdades sociales. Es así en México y en el resto del mundo y sobran los textos que lo argumentan: el salario mínimo sí importa. Entre varias referencias está de nuevo el libro de Thomas Piketty, *El capital en el siglo XXI*.

El control del precio mínimo de las horas trabajadas al día no se fija sólo por la oferta y la demanda, porque tiene un componente institucional y político antes que económico. Así lo determina por ejemplo la Constitución mexicana, que dice en el artículo 123: «Los salarios mínimos generales deberán ser suficientes para satisfacer las necesidades normales de un jefe de familia, en el orden material, social y cultural, y para proveer a la educación obligatoria de los hijos». Aquí la Carta Magna no hace referencia a un solo argumento vinculado con el mercado laboral o a consideraciones económicas.

Puede estarse en contra de este principio, pero mientras la definición del salario mínimo se halle en la ley más importante del país resulta imposible ignorarla, de ahí que este ingreso lo decrete en México una autoridad, tal como sucede en la mayoría de los países del mundo; la Comisión Nacional de los Salarios Mínimos lo ha hecho así desde 1963 y antes era responsabilidad de otras instancias públicas. Resulta por tanto tramposo el argumento que insiste en que el salario mínimo no puede ser fijado por decreto: en México no ha sido de otra manera desde 1917.

Al tiempo en que se escribe este párrafo el valor de ese ingreso, para la ciudad capital, es de 67.29 pesos diarios. En otras entidades del país, como Puebla, Morelos o Querétaro, la base autorizada es de 63.70 pesos por día. El Coneval afirma que con ese salario no hay forma de que una familia pueda cubrir sus necesidades alimentarias, mucho menos sufragar otros menesteres como vivienda, vestido o transporte. Para cumplir con la Constitución, de acuerdo con esa misma autoridad, el ingreso familiar debería ser de 350 pesos al día, cantidad que sólo perciben los hogares que se encuentran por encima del piso 6 del multifamiliar mexicano.

Los beneficiarios del Mirreynato dicen que nadie en el país gana realmente el salario mínimo. Es mentira: de acuerdo con datos del Inegi, alrededor de 6.5 millones de trabajadores padecen un ingreso próximo a los 67 pesos diarios, y alrededor de 22 millones rondan entre los 134 y los 203 pesos por día y por tanto están lejos del umbral deseable según el Coneval.

Cabe decir que México y Venezuela son los dos únicos países de América Latina donde el salario mínimo retrocedió en términos reales durante los últimos catorce años; junto con este han disminuido también las prestaciones y la demanda de horas laborables. Frente a tal realidad, el valor de los bienes y los servicios continúa creciendo, lo cual explica el empobrecimiento crónico de la población. El ingreso por persona no ha aumentado más de 1% anual desde hace treinta años. En este contexto, el salario mínimo de hoy ostenta un valor inferior a 70% del que tenía en 1980.

La cantaleta que se escucha de manera irreflexiva entre los defensores del *statu quo* para explicar la contracción del ingreso lleva en sus estrofas el argumento de la productividad. No se puede incrementar el salario mínimo —aseguran desde el piso 10— si antes no mejora la productividad. A esos predicadores no se les ha ocurrido pensar que probablemente las tasas precarias de productividad que muestra la economía mexicana se deben a la compresión prolongada de los ingresos de las personas y no a la inversa.

Para que la productividad ocurra se requiere un ambiente de trabajo y una serie de condiciones e incentivos en el empleo que son antagónicos al castigo en los salarios. Un ejemplo lo ofrecen los migrantes mexicanos, que en Estados Unidos tienen fama de muy trabajadores; ¿por qué la misma persona que en su país no es productiva comenzaría a serlo apenas cruza la frontera?

En Estados Unidos existen condiciones de seguridad social, estabilidad en el empleo, capacitación, contacto con la innovación y acceso a estímulos que la inmensa mayoría de los trabajadores en México ni siquiera imaginan. Resulta difícil constituir un ambiente laboral productivo si las personas no perciben salarios que les permitan conducir una existencia económica digna, si el puesto no ofrece estabilidad para el aprendizaje y la mejora de competencias, si no se percibe que gracias al esfuerzo personal hay condiciones de movilidad ascendente y si el empleo no asegura contextos aceptables de salud física y anímica.

En México han transcurrido ya muchos años de presión a la baja sobre el importe del salario y al mismo tiempo se observa una tasa de productividad que, desde hace más de tres décadas, cae sin detenerse; si lo que se busca es mejorar la productividad, tendría que impulsarse el crecimiento del salario y no lo contrario.

El sector manufacturero de exportación es el único que muestra síntomas saludables. Es altamente productivo, cuenta con inversión tecnológica constante, compite con el extranjero, es innovador, paga impuestos y capacita a sus trabajadores. En la práctica, gran parte de las ganancias en productividad de la economía mexicana provienen de ahí. Al mirar el tabulador de nómina en este sector de la economía se puede constatar que, promediando, los salarios son 30% superiores en comparación con el resto. ¿Qué sucedió primero en esas unidades económicas, la productividad en la manufactura de exportación o el pago de buenos salarios para atraer y conservar en el tiempo a los mejores trabajadores? Esta pregunta no es ociosa si se piensa en los términos necesarios para el crecimiento económico y si el tema de la desigualdad es en algún modo relevante.

El *Reporte McKenzie* de marzo de 2014 sobre la productividad en México ayuda a afinar la mirada. De acuerdo con esa investigación los empleos más productivos, y en consecuencia por los que se obtienen mejores salarios, son aquellos de la industria dedicada a la manufactura, que cuenta con unidades económicas donde laboran arriba de 500 personas. Estas empresas han mostrado ganancias en productividad de entre 5% y 6% en una década. La gestión de sus factores de producción les ha permitido mejorar continuamente los rendimientos. En contraste, las unidades económicas del sector servicios que tienen entre 1 y 10 empleados experimentaron en el mismo periodo una caída en productividad de 8.6%.

Si la economía mexicana no indica mejores rendimientos es por los puntos que las unidades no productivas le restan a las que sí lo son. Vale decir que las empresas con un número de empleados de entre 11 y 500 trabajadores no ofrecen variación, es decir, que su tasa de productividad ha dormido inconmovible durante un largo periodo de tiempo.

Al parecer, un poderoso cierre social para el mercado del trabajo separa a los sectores industrial y de servicios. Si se cuenta con habilidades manuales calificadas existe alta probabilidad de ser contratado por el primer sector y por tanto cabe obtener un ingreso que coloque a la familia por encima del sexto piso del edificio social. Sin embargo, si la calificación es baja, entonces será en los servicios (panaderías, tiendas de abarrotes, restaurantes de barrio, puestos de tianguis) donde la persona encuentre empleo. Ahí el ingreso es precario.

La cosa se complica cuando la demanda por trabajadores calificados en la industria es mucho menor en comparación con la del sector servicios, que es donde hoy se ubica una inmensa mayoría de personas; 6 de cada 10 mexicanos obtienen ingresos del llamado tercer sector. En efecto, la desigualdad en México está ligada con fuerza al oficio: no son pobres ni desiguales quienes tienen un despacho de abogados o de arquitectos, los académicos de las universidades o quienes se dedican a la ingeniería y trabajan en alguna empresa de exportación. En contraste, sí lo son las trabajadoras del hogar, los obreros de la construcción, el comerciante del tianguis y el campesino que labora por cuenta propia y no tiene tierra.

El puesto de trabajo determina la obtención de bienes y servicios, el acceso a la dignidad y al trato decente, el ejercicio de ciertos derechos e incluso la influencia hacia el poder y con el gobierno. Si se tiene la mala suerte de poseer un empleo equivocado, no se tendrá derecho a la salud, a una pensión o a un seguro de desempleo; tampoco será posible firmar un contrato donde se estipulen las horas laborables o las obligaciones de los patrones.

Otro cierre social aún más implacable que el anterior es el que separa a los trabajadores formales de los informales. En México, más de 31 millones de personas no están inscritas en ningún sistema de seguridad social y casi 15 millones de empleados no cuentan con un contrato escrito donde se estipulen sus condiciones de trabajo. A partir de estas circunstancias es que puede afirmarse que 62% de la población trabajadora mexicana se encuentra en el territorio de la informalidad. Una gran cantidad de tales empleos se inscriben en negocios que, a su vez, pueden ser considerados como informales; se trata de unidades económicas dedicadas a la producción de bienes o servicios que no están registradas ante la autoridad hacendaria y no cuentan tampoco con controles contables propios. Son negocios pequeños, casi siempre familiares, que no contratan a más de diez personas; por su naturaleza, este tipo de unidades económicas ofrecen puestos de trabajo que también son informales.

Si se mide por unidad económica, en México hay 13.5 millones de personas arrojadas a la informalidad. Si a éstas se suman aquellas cuyo puesto de trabajo se encuentra en circunstancia irregular —desprovisto de los derechos a que la ley obliga—, entonces la cifra alcanza los 32 millones de personas.

Esta circunstancia de informalidad tiende a disminuir los ingresos: gana menos quien se encuentra sometido a ella. Es común sin embargo, en la retórica predominante, suponer que laborar dentro o fuera de la informalidad es una decisión de los trabajadores. Nada más falso: aquellos cuyo ingreso proviene de un empleador informal muy poco pueden hacer para cambiar su realidad, y esas personas representan 30% de la población trabajadora. En cuanto al otro tercio, cabe dividir entre los trabajadores por cuenta propia, que podrían decidir formalizarse si así les conviniera, y aquellos cuyo patrón impone la privación de los derechos laborales como regla para contratarles. Es el caso de los 2.1 millones de trabajadoras del hogar mencionadas en el capítulo anterior y también de una fracción amplia de obreros de la construcción. Y sin embargo, desde el piso 10 del Mirreynato se escucha con frecuencia tratar con un discurso homogéneo y discriminatorio a todos los trabajadores «informales».

El *Reporte McKenzie* citado antes menciona que la falta de acceso al crédito bancario sufrida por una inmensa mayoría de negocios y trabajadores podría ser una de las causas no exploradas para comprender la informalidad. De nuevo el ejemplo de los mexicanos que migran al extranjero sirve para aproximarse con mayor inteligencia al fenómeno: ¿por qué un mexicano, incluido aquel cuyo estatus es ilegal, a la primera oportunidad suele inscribirse ante el registro de causantes del impuesto sobre la renta (IRS) de Estados Unidos? No cabe decir que se debe a un cambio de cultura ocurrido mágicamente al cruzar el río Bravo. La razón es simple: para prosperar los migrantes necesitan echar mano del sistema financiero. Gracias a él pueden adquirir un vehículo, una casa o contar con un crédito para emprender un negocio, y sólo estando en orden con la autoridad hacendaria es que en ese país se abre la puerta para el financiamiento.

En contraste, en México 8 de cada 10 individuos no cuentan con acceso al crédito dentro del sistema bancario tradicional. Es decir, que solamente aquellas personas que viven en los dos últimos pisos del edificio obtienen préstamos normales para cubrir sus distintas necesidades; así lo afirma el *Reporte sobre la discriminación en México 2012* emitido por el Consejo Nacional para Prevenir la Discriminación (Conapred) y el Centro de Investigación y Docencia Económicas (CIDE). El resto necesita acudir a la banca popular, regulada de manera ineficiente, a las casas de empeño, a los prestamistas y usureros o a las *tandas*. Si el *Reporte McKenzie* tiene razón, no van a cambiar los incentivos a favor de la informalidad mientras el sistema financiero mexicano no cuente con una oferta que abarque a un número mayor de personas.

División del trabajo por sexo y por edad

La población que se encuentra fuera del cierre social impuesto por el mercado del trabajo tiene un número desproporcionado de mujeres y jóvenes: ellas y ellos suelen encontrar empleo en el sector informal de los servicios, mientras que los varones de mayor edad cuentan con mejores oportunidades. El primer puesto al que ambos suelen tener acceso es manual y de baja calificación y esa circunstancia difícilmente cambia con el tiempo, por lo que puede decirse que los empleos peor pagados tienen sexo y edad.

A diferencia de los varones, la participación de las mujeres en el mundo del trabajo está determinada por razones de tipo cultural y familiar. En un estudio publicado en mayo de 2014 por la *Oxford Development Studies* (revista de estudios sobre el desarrollo de la Universidad de Oxford), los economistas Miguel Campos y Roberto Vélez Grajales constataron que en México la suegra de la esposa juega un papel relevante cuando la segunda quiere laborar. Según estos investigadores, si el marido tuvo una madre trabajadora es probable que permita a su pareja salir a buscar un empleo sin reclamos graves. En cambio, si ese mismo varón vio a su madre quedarse en casa para cuidar a los hijos, entonces tenderá a preferir que su esposa haga igual que su progenitora.

Un descubrimiento que se deriva del anterior es la manera en que la biografía de la abuela paterna influye en el señor de la casa cuando éste asigna recursos para el estudio de sus hijos. Si esa abuela trabajó de joven, es común que el padre sea parejo a la hora de invertir en la educación de su descendencia. En cambio, si la abuela paterna se quedó en casa, entonces el padre optará por beneficiar a los varones sobre sus hijas.

La cultura también influye para determinar los empleos considerados más aptos para las mujeres, los cuales suelen ser una extensión de las tareas desempeñadas en el hogar: es aceptado que ellas sean cocineras, meseras, nanas, trabajadoras domésticas, afanadoras, azafatas, cuidadoras o damas de compañía. Todos estos empleos a su vez se encuentran entre los peor pagados por el mercado del trabajo. En cambio, los varones tienen preferencia para ocupar puestos relacionados con actividades intelectuales intensivas; son ingenieros, contadores, funcionarios o médicos, empleos todos donde la remuneración obtenida suele ser mayor.

Se suma a lo anterior que no es posible medir la productividad de los puestos ocupados mayormente por mujeres y por tanto no existe forma de presionar por una alza en sus salarios. ¿Cuántas arrugas deben ser eliminadas de una cama para que la productividad de una recamarera de hotel sea considerada como superior a la obtenida el año previo? ¿Cuánto brillo debe lucir la taza de un baño público para que la afanadora responsable cotidianamente de limpiarla pueda pedir un aumento? Con este ejemplo se prueba que el argumento de la productividad puede ser tramposo y tiende a jugar en contra del trabajo femenino.

Los empleos manuales de baja calificación suelen ser también los mejores para quien está buscando una labor remunerada de tiempo parcial. La trabajadora del hogar, la nana o la cuidadora de adultos mayores cobran por hora y esto es conveniente para ellas porque les permite dedicar parte de su tiempo a las labores del hogar, o de plano entrar y salir del mercado laboral a partir de las exigencias que se imponen desde casa.

Sin embargo, la falta de constancia en el empleo —la intermitencia laboral— repercute de nuevo en contra del ingreso de las mujeres, y es que los patrones no suelen invertir en un trabajador inconstante; no dedicarán recursos para su capacitación y tampoco buscarán incentivarlos con mejores salarios. A esto se añade que el fenómeno de la productividad laboral se genera gracias a que el trabajador permanece durante un periodo largo haciendo la misma tarea, es así como logra dominar el oficio al punto de crecer su rendimiento.

La intermitencia laboral a la que están arrojadas las mujeres en México es causa importante de la desigualdad que padecen con respecto al ingreso. La situación que impide equiparar en condiciones a varones y mujeres, como la falta de guarderías, la inexistencia de la licencia por paternidad o la demanda restringida de empleo para mujeres en edad reproductiva son causa de la desigualdad económica atribuible a la injusticia de género.

En un país donde las prestaciones sociales están ligadas a la posesión de un empleo estable y formal, las personas del sexo femenino sufren además el despojo de algunos de sus derechos fundamentales, como el acceso a la salud o a una pensión digna para su vejez. 1 de cada 2 mujeres mexicanas se encuentra en esta circunstancia de vulnerabilidad.

Por último, cabe destacar que las mujeres dedican en México muchas horas diarias más al trabajo no remunerado en comparación con los hombres. En total, ellas trabajan 65 horas a la semana y sin embargo una parte importante de ese tiempo no tiene como contraprestación un salario.

Con respecto a la división que el mundo del trabajo hace a

partir de la edad de los trabajadores, destaca que la tasa mexicana de desempleo para los más jóvenes sea superior en comparación con la que experimenta el resto de la población; ronda el 9.4% y contrasta con el 5% de la tasa general. Esto hace que en la planta baja del edificio social predominen familias con hijos de entre 25 a 35 años. En efecto, mientras más joven es la población crece el desempleo y se observa una mayor persistencia de la pobreza.

Cabe añadir dos últimas variables a este escenario: el divorcio y las madres sin pareja. El desmembramiento familiar tiende a ser un argumento agravante para vivir en la marginación, lo mismo que la responsabilidad parental depositada en uno solo de los padres, sobre todo cuando éste es mujer. Hay poblaciones urbanas donde ambos fenómenos se han multiplicado, por ejemplo Ciudad Juárez, donde 1 de cada 2 hogares tiene como sostén económico sólo a la madre de familia.

Desigualdad regional

Un cierre social que se añade a los anteriores tiene que ver con la región donde se vive. En México no es lo mismo haber nacido en el norte que en el sur del territorio nacional. No es lo mismo nacer en Chiapas, Guerrero, Tabasco, Veracruz, Oaxaca o Campeche que haberlo hecho en Nuevo León, Tamaulipas, Coahuila, Sonora o las Californias. Para ilustrar el fenómeno cabe aproximarse a las diferencias mostradas en el ingreso de los individuos entre 1990 y 2010. Mientras en los estados del norte, durante ese periodo, las entradas por habitante crecieron alrededor de 21%, en el sur del territorio sólo alcanzaron un alza de 6.8%. Este dato explica el aumento en los niveles de pobreza que se han vivido en las regiones mayoritariamente indígenas y campesinas.

En los mismos estados vulnerables predomina la informalidad y también las tasas bajas de productividad. En el sur casi 70% de la población trabajadora puede ser identificada como informal y la pobreza alcanza al 56% de total de sus habitantes. Las entidades con indicadores más precarios en productividad y por tanto con el monto del salario más comprimido son Chiapas, Oaxaca, Guerrero, Puebla, Veracruz, Hidalgo, Tabasco y Campeche.

Si se mide la pobreza por carencia en la alimentación, las cifras vuelven a mostrar un patrón similar. De acuerdo con la Encuesta Nacional de Salud y Nutrición (Ensanut) 2012, alrededor del 34% de la población que habita en el sur del país padece inseguridad alimentaria moderada o grave; en cambio, en el norte sólo 25% de las personas se encuentran en una situación parecida.

En lo que toca al sistema de salud, la desigualdad regional también se manifiesta. Chiapas, Hidalgo, Morelos, Guerrero y Oaxaca se encuentran entre las 7 entidades con el menor número de camas de hospital; datos equivalentes se observan con respecto a la cifra de médicos que están en contacto con los pacientes y lo mismo ocurre cuando se cuenta el número de incubadoras, quirófanos, bancos de sangre, laboratorios de análisis, equipos de mamografía, unidades de hemodiálisis o dispositivos de ultrasonido. Esta información está disponible en el documento del Coneval dedicado a revisar los indicadores de acceso y uso efectivo de los servicios de salud de 2014.

El tema educativo está sobre los mismos rieles. De acuerdo con el *Informe PISA* de 2012, Guerrero fue la entidad con peores resultados de desempeño en matemáticas para los estudiantes de quince años; de abajo hacia arriba le siguen Chiapas, luego Tabasco, Campeche, Veracruz e Hidalgo. En contraste, los mejores indicadores se obtuvieron en Aguascalientes, Nuevo León, Jalisco, Querétaro, Colima, Chihuahua, Distrito Federal y Durango. Los números son similares cuando se observan los resultados en ciencias o en lectura.

Es evidente que el déficit en la inversión estatal en salud y educación afecta peor a la población del sur mexicano; esa tendencia presupuestal no se ha modificado y por tanto nada indica que la desigualdad regional vaya a atenuarse. Tal realidad es aún más grave si se toma por cierta la hipótesis de Thomas Piketty, quien afirma que en el futuro del mundo la desigualdad en la riqueza dentro de las naciones será más grande que la observada entre los diferentes países.

Recuerdos del porvenir

Es muy difícil suponer que una sociedad con tanta desigualdad no termine arrojada a la violencia entre sus integrantes; las distancias abismales de ingreso entre los últimos pisos y los primeros provocan el resentimiento y la rabia que legitiman la agresión social. Una comparación permite mirar la fotografía entera: mientras los mexicanos más ricos ingresan aproximadamente 84 000 pesos al día, los más pobres tienen una entrada diaria de sólo 21 pesos.

A la postre los recursos que no fueron invertidos para mejorar las condiciones de vida de los desfavorecidos se utilizan para reprimir las expresiones subversivas de la insatisfacción. La ley es quebrada por el crimen o la insurgencia y el aparato represor montado por los habitantes del último piso potencia aún más la corrupción y la impunidad que dieron origen a la asimetría.

La violencia que el México del Mirreynato vive en el presente con probabilidad encuentra aquí su causa principal. Más de 130 000 personas perdieron la vida en la guerra contra las drogas que se vivió entre 2006 y 2012, y aunque durante los siguientes dos años el número de muertes presentado por la autoridad parece decrecer, lo cierto es que mientras la asimetría siga siendo tanta el porvenir continuará oscuro e incierto.

Los argumentos expuestos en este capítulo y los anteriores predisponen en contra de la idea de que la economía, por sí sola, es responsable de la desigualdad. Es la política el factor que más influye: el secuestro de la representación democrática, los procesos de exclusión en el mercado del trabajo, la expropiación de derechos, el acaparamiento de los bienes y los servicios, la apropiación privada de lo que es público, la corrupción de los funcionarios, la subordinación del interés general, la ineficiencia gubernamental y la conducción sesgada de las políticas públicas son los elementos de una conducción equivocada del gobierno.

Ya se dijo: de nada sirve al Estado contar con un gran territorio y una gran población si el gobierno es un fracaso. Y el Mirreynato es un régimen que se caracteriza por su mal gobierno. Para que las cosas cambien sería necesario que los intereses de las élites dejaran de ser los únicos predominantes, y para ello el 1% más rico del país tendría que someterse, como cualquier otro grupo de mexicanos, al imperio de la ley a través de un pacto social diferente. Tendrían que pagar impuestos según la proporción que les corresponde y las instituciones públicas deberían de blindarse frente a los embates y manipulación de su poder económico.

El mejor recuerdo del futuro que los mexicanos podríamos traer al presente es uno donde el Estado ya no está secuestrado por la voluntad de unos cuantos y las distancias entre los mexicanos de la planta baja y los que viven en el *penthouse* dejan de ser inmorales.

Profetiza Piketty que las desigualdades podrían reducirse si el conocimiento y la capacitación laboral se vuelven bienes accesibles a toda la población; entonces no habría asimetría sino convergencia y construcción solidaria de una misma comunidad. Las diferencias entonces serían producto sólo del mérito y el esfuerzo que cada quien obtenga por su propio trabajo; luego, el bienestar no sería ya una dádiva graciosa otorgada a unos cuantos por razones injustas y aleatorias. Pero ese porvenir todavía se antoja lejos en esta época del Mirreynato. Mientras el elevador social que conduce a las personas de un piso al otro continúe atrofiado, México seguirá abrazado a su mediocridad. El siguiente capítulo está dedicado a la movilidad social.

VII
Elevador descompuesto

Cenar en la mesa adecuada

La graduación de preparatoria más popular del verano de 2014 fue la de Paulina Peña Pretelini, la hija del presidente mexicano. En todas las revistas de sociales aparecieron fotos suyas, abrazada por su padre evidentemente orgulloso. Entre otros chicos, son parte de esa misma generación del Colegio Miraflores el hijo del gobernador del Estado de México, Eruviel Ávila, y el del ex-subsecretario de Comunicaciones, Jorge Álvarez Hoth. También son alumnos de este centro escolar los hijos del secretario de Gobernación, Miguel Ángel Osorio Chong. Ese colegio es propiedad de una orden religiosa de monjas españolas llamada Esclavas de la Santísima Eucaristía y de la Madre de Dios.

La noche antes de la fiesta se formó una larga fila de estudiantes que querían asegurarse una mesa próxima a la que ocuparía la familia presidencial. Como si se tratara de adquirir un trozo de pan durante el racionamiento en época de guerra, o un nuevo dispositivo iPhone recién lanzado a la venta por la empresa de la manzana; los alumnos del Colegio Miraflores, generación 2011-2014, acamparon frente al escritorio donde se repartirían los boletos de la graduación porque querían a toda costa sentarse cerca de la hija del presidente.

Aquel día de junio fue una metáfora de lo que ocurre en la sociedad mexicana. La necesidad que tienen algunos de pertenecer al círculo social más selecto merece toda clase de esfuerzos. La sola posibilidad de aparecer fotografiado en las revistas *Quién* o *Caras*, que más tarde publicarían las imágenes del evento, era mejor premio que haber conseguido el certificado de preparatoria. Y es que la pertenencia a una red social con prestigio es un valor bien cotizado, de ahí que haya quien esté dispuesto a hacer lo indecible por conectarse.

El Colegio Miraflores ha hecho un formidable negocio a partir de esa necesidad. Gracias a que los hijos de Enrique Peña Nieto y su esposa, Angélica Rivera, estudian en esa institución, se inscribió también la descendencia de otros políticos y empresarios con medios económicos. La fama de estas escuelas va cambiando conforme las élites eligen centros escolares distintos alrededor de los cuales tejer su red; como ocurre con las arañas, la malla de relaciones se mueve paulatinamente de un lugar a otro dentro de la misma casa.

Una constante destaca sin embargo en México: las escuelas prestigiadas de educación primaria y media superior, como el Colegio Miraflores, han sido siempre administradas por órdenes religiosas. En la capital del país, ayer fueron el Instituto México, el Francés del Pedregal o el Colegio Patria; hoy son los institutos Cumbres o Irlandés, el Regina, el Colegio del Bosque y otros pocos más. En otras poblaciones del país los nombres podrán cambiar pero el concepto sigue siendo el mismo. Son esas órdenes religiosas las que se encargan de bendecir cristianamente las relaciones convenientes de los más jóvenes, y también de separar aquellas que podrían ser consideradas como indeseables.

Alrededor de estos centros escolares se fraguan las amistades de los habitantes más jóvenes del piso 10 y con frecuencia también las de sus padres, que por su conducto igual se conocen, frecuentan o reencuentran. En esta época de Mirreynato, como en otras que la antecedieron, los tutores están convencidos de que la red social que heredarán a sus hijos es tanto o más importante que los recursos económicos o los estudios cursados.

Este argumento se entiende mejor en voz de una madre de familia entrevistada para este libro: «Por eso hay colegios como el Regina, súper cotizados, porque ahí han cuidado la parte de que sean puros chavos con familias de antaño, de toda la vida. Es garantía para todos; tú como papá vas a estar tranquilo porque [de] esas niñas sabes su raíz de toda la vida».

Lo fundamental son los conocidos y todavía más importante es quién te conoce. Una mirada cómplice de la hija del presidente puede poner de buen humor a toda una familia: el gesto será comentado muchas veces en la sobremesa, será presumido por el padre en su lugar de trabajo, adoptará la forma de un comentario casual de la madre del graduado mientras se barniza las uñas en el salón de belleza.

El cemento que une a la red social de prestigio es la retroalimentación mutua de los egos: «Si tú me miras, yo te miro; si yo te miro, serás mirado por otros». «Mira ahora, mira ahora, puedes mirar —dice la canción del grupo español Mecano—; sombra aquí y sombra allá, maquíllate, maquíllate; un espejo de cristal y mírate». Algo así dice la tonada que es útil para contar con existencia social. En sentido inverso, si no te miro ahora ni después, no existes y probablemente los otros perderán interés en ti. La mirada del otro termina siendo el principal maquillaje para ser mirado.

Los integrantes de la red dedican mucho tiempo y energía a cultivar su pertenencia social. Asisten a los mismos clubes y restoranes, su casa de campo es vecina, los varones juegan golf entre ellos, las mujeres van de compras juntas, los hijos planean viajes, coinciden en fiestas y antros; hacen, pues, todo lo que sirve para confeccionar un sustrato psicológico compartido.

Todos los hombres fueron creados iguales

Dice el sociólogo C. Wright Mills que el concepto de *élite en el poder* se funda «en la similitud de origen y visión, y del contacto social y personal entre los altos círculos de cada una de las jerarquías dominantes». Una clave de ese comercio entre sujetos pertenecientes al mismo estamento está en sus relaciones personales. Las redes se siembran y consolidan mejor cuando los vínculos se prodigan a partir de la convivencia íntima. Resulta indispensable lucrar con los asuntos privados para asegurar que las relaciones públicas fructifiquen, de ahí que las fiestas de cumpleaños, las bodas, las graduaciones, las vacaciones y una larga lista de eventos privados sean el escenario donde se cocina, condimenta y paladea el arte de la pertenencia social.

Entrar a esa cocina permite al observador descifrar algunas de las intrigas políticas, de los negocios más lucrativos, de las alianzas y también de las fracturas y guerras que se viven entre quienes residen en el último piso social. Así son las élites del poder en todo el mundo y por ello es que aproximarse a lo personal hace la delicia de quien se interesa con seriedad en lo político.

Es falsa la afirmación del periodista Thomas Paine que luego se convertiría en lema de la revolución de independencia estadounidense: «Todos los hombres fueron creados iguales». En la realidad —y por fortuna— los seres humanos fuimos creados diferentes; sin embargo, la especie se las arregló para que unos terminaran más iguales que otros.

Ya antes se afirmó que la clase social es un marcador utilizado para distinguir con asimetría. Sin embargo, también sirve para jugar el papel opuesto: la clase iguala a quienes logran adscribirse en el mismo estamento. El común denominador se fragua gracias a las expectativas y posibilidades simultáneas de los individuos que se encuentran parados en posición similar. Aunque el ingreso económico es relevante para fijar posición, hay otros signos que también juegan y el capital relacional es en este contexto muy importante. Quien cuente con ambos atributos —ingreso y contactos—, tenderá a vivir con mayor lujo y comodidades.

Esta realidad es antigua y ha sido muchas veces explicada por la literatura y las distintas ciencias humanas; no hay hilo negro que se descubra al confirmarla. El verdadero desafío intelectual está en otra parte, en explicar los modos que cada sociedad define a la hora de permitir el acceso o promover la expulsión de la red privilegiada. Cada comunidad humana tiene sus propios y casi siempre muy sofisticados mecanismos de afiliación, y de igual forma confecciona las trampas para alejar a quienes son indeseables o inconvenientes.

Hay una frase perfecta de la escritora Iris Murdoch para describir este rasgo de la naturaleza humana: «No es suficiente con tener éxito, otros deben caer». En efecto, para que el prestigio prevalezca debe haber diferencias, asimetrías, distancia; ha de sobrevivir una construcción que tenga muchos pisos. No importa que la democracia haya traído a la era contemporánea los valores de la igualdad de oportunidades o del esfuerzo personal: una cosa es el discurso y otra la realidad. Los capítulos anteriores ofrecen una pila de argumentos que prueban el triunfo de la cultura del privilegio sobre cualquier otra filosofía.

El ideal que un día implicó la movilidad social está en riesgo de fracasar. El elevador que en otros tiempos quiso conducir de un piso a otro pareciera en definitiva atascado: como razón principal de este hecho está el peso que la cuna sigue teniendo sobre el mérito. El Mirreynato es un régimen basado en el triunfo contundente de los lazos familiares y sociales.

Movilidad estancada

Hay algo que no va bien cuando la herencia patrimonial y el fenotipo son más relevantes que el talento, las habilidades, el empeño o la formación académica, y sin embargo tal cosa es una característica de los tiempos. Un aparato económico ineficiente para asignar ingresos, salarios, empleo, bienes o servicios tiene como consecuencia la fractura del tejido social y la reproducción epidémica de la pobreza. En sentido inverso, cuando una sociedad cuenta con movilidad social, la igualdad de oportunidades es patrimonio de sus integrantes y entonces las virtudes selectivas del mercado producen mayor eficiencia social.

El concepto de *movilidad social* lo explican bien los economistas Roberto Vélez Grajales, Raymundo Campos y Claudia Fonseca: «En una sociedad "A" los hijos de los individuos más ricos serán invariablemente más ricos, mientras que los hijos de los individuos pobres seguirán siendo pobres. En cambio en la sociedad "B" la posición [y] la distribución de [los] ingresos es independiente del ingreso de sus padres».

La movilidad social es un indicador que permite medir las opciones reales que tienen las personas cuyo deseo es cambiar su nivel socioeconómico. Debería ocurrirle a la persona independientemente de su origen, del padre o la madre que lo trajeron al mundo, del sexo o de la preferencia sexual, del color de la piel o las convicciones religiosas. Y sin embargo, de manera injusta —como ya se argumentó en el capítulo V— estos y otros marcadores terminan siendo utilizados como estigmas muy eficaces a la hora de cerrarles el paso a las personas. Para el tema que aquí interesa, esos son los principales obstáculos que explican el mal funcionamiento del ascensor social.

Algunos economistas dicen que para hacer que la movilidad retome trayectoria ascendente lo que se necesita es que la economía crezca. Hasta cierto punto tienen razón: cuando una economía nacional alcanza tasas elevadas de crecimiento tiene lugar una movilidad absoluta de grupos amplios de familias e individuos que en una sola generación dejan atrás el estamento ocupado largamente por sus antepasados.

Otra forma similar de movilidad es la que se produce cuando un sujeto migra a otro país más rico, y con suerte ese hecho lo catapulta a una posición social que jamás habría obtenido de haberse quedado en la sociedad de origen. ¿Cuántos mexicanos por nacimiento han experimentado esta expresión del ascenso social durante los últimos tiempos? Aun en condiciones de ilegalidad, varios millones que han migrado a Estados Unidos lograron hacerse de un patrimonio importante en unos cuantos años. Compraron casa, automóvil, educaron a sus hijos, montaron un negocio propio y alcanzaron una vejez digna gracias al hecho de haber abandonado, de manera abrupta, el edificio social que les vio nacer pero les negó un ascensor que funcionara.

La lección que dejan esas vidas debería avergonzar a quienes se quedaron de este lado del río Bravo y sobre todo a los principales responsables del fracaso de la movilidad social mexicana. Si la población migrante obtuvo éxito más allá de la frontera fue porque su esfuerzo tuvo una buena recepción en la economía estadounidense; todavía más importante, la inversión laboral que hicieron allá ayudó para que esa economía floreciera. El poder económico que los mexicanos tienen hoy en Estados Unidos da testimonio de su éxito, pero también del fracaso que significa no haberlo visto suceder en la tierra de sus padres.

Y es que el ascensor social mexicano muestra uno de los desempeños más precarios del orbe; a este respecto vale la pena revisar el informe *Movilidad Social en México 2013*, elaborado por el Centro de Estudios Espinosa Yglesias (CEEY). En México, sólo 4% de quienes se encuentran hasta arriba empezaron la vida en la planta baja de la construcción social. 1 de cada 2 personas nacidas en los dos primeros pisos de abajo tendrá hijos que vivirán ahí mismo. La niña mazahua que vende chicles en la esquina de un barrio elegante tendrá antes de los dieciséis años una hija cuya historia repetirá de manera casi idéntica los pasos de su progenitora; el azar jugará para ella un papel menor porque su biografía ha sido determinada de antemano.

Si se coloca la cámara en el otro extremo, resulta que los habitantes de los pisos 9 y 10 son muy afortunados: únicamente 4 de cada 10 llegan a descender al piso 8 y sólo 2 de cada 10 caen más abajo. Mientras los residentes del edificio mexicano la tienen muy difícil cuando quieren subir, quienes están alojados en los pisos superiores corren pocos riesgos de descender. La oportunidad la asigna la cigüeña y después de ello hay poco más que hacer. La razón principal de pertenencia al estrato social deriva del nacimiento, no del mérito, el esfuerzo o las oportunidades. Es demasiado lo que se juega en una sola partida de lotería.

Destaca en cambio la movilidad que sí hay en los pisos de en medio. El ascensor funciona entre los niveles 4 y 8: las personas suben y bajan conforme a su mérito o su suerte porque no hay un diseño arquitectónico que obstaculice el traslado. Sin embargo, para quienes provienen de la clase media tampoco es fácil ir más allá. Su ingreso está bloqueado por una lápida de concreto y la oportunidad para que accedan a la red social de los privilegiados que residen en los pisos superiores es prácticamente nula. Desde arriba de la construcción se han preparado bien las cosas para que no venga a importunarles un clasemediero.

En revancha, los habitantes de la parte intermedia del edificio también han cerrado la escotilla que bloquea el acceso a la niña mazahua. Lo hicieron con los mismos dos instrumentos: los salarios y el capital relacional. Así, si se atiende al criterio de la movilidad social hay tres Méxicos: el *Mexiquito* del *penthouse*, el país de en medio habitado por los que no suben ni bajan y el *Mexicote*, condenado a vivir en la pobreza perpetua.

Los méritos, el amiguismo y el primer empleo

Adán Murillo y Rosa Isabel Islas, en un interesante texto académico sobre los méritos y el amiguismo en el mercado laboral mexicano publicado en 2012, argumentan que la red de relaciones con que nace y crece una persona determina, por una parte, las oportunidades para acceder a un empleo, y por la otra los salarios que obtendrá por su actividad laboral. Los años de educación y la calidad de los conocimientos adquiridos en la escuela tienen relevancia pero una menor a la que podría suponerse. La educación será el tema abordado durante el siguiente capítulo; por lo pronto vale seguir centrando el tema del capital relacional y sus consecuencias.

Murillo e Islas demuestran que 7 de cada 10 personas obtuvieron empleo en México gracias a que un familiar o un amigo los recomendó o les consiguió directamente el trabajo. En contraste, sólo 4% halló su puesto gracias a un mecanismo del mercado. Se confirma que el capital relacional, las interacciones sociales y la confianza en las amistades y familia son variables definitivas para acceder a una fuente de ingreso salarial.

Su investigación logra distinguir los beneficios que la red social ofrece a los habitantes de la planta baja en comparación con quienes viven en el *penthouse*. Para unos y para otros el capital relacional es imprescindible a la hora de obtener un trabajo; sin embargo, mientras que para los habitantes del primer piso la red social no ayuda a crecer el ingreso, en el caso de los mexicanos más ricos sí es fundamental a la hora de multiplicar el salario.

Explicado de otra forma, el capital relacional ayuda a los desaventajados para obtener un puesto de trabajo pero no para mejorar sus ingresos; en cambio, para los residentes de los niveles más altos el hecho de contar con una buena red de relaciones multiplica las entradas. No están por tanto equivocados quienes, en los pisos superiores, hacen esfuerzos sobrehumanos para alimentar y pertenecer a una red prestigiada. (Hacer la fila con objeto de obtener los mejores lugares de la graduación resulta entonces una elección inteligente y hasta admirable.)

El informe sobre movilidad del CEEY aporta otros datos interesantes. Resulta que el oficio del padre del trabajador es también crucial para el futuro laboral del hijo. Por ejemplo, si el progenitor del empleado fue alguien dedicado a trabajar con su intelecto (médico, contador, ingeniero), existe una probabilidad de 41% de que su hijo siga ese mismo sendero. En el peor de los casos cabe que descienda un escalón y se convierta en un trabajador no manual con baja calificación (asistente de contabilidad, residente de obra), cuyo salario seguirá probablemente siendo aceptable.

En el mismo orden de ideas, un obrero de la construcción tendrá 57% de probabilidad de que sus hijos se dediquen al mismo oficio o que acaso logre convertirse en asalariado dentro de una fábrica maquiladora de pantalones. Si se dirige la cámara hacia la parte inferior de la pirámide resulta que el hijo de un campesino mexicano sólo cuenta con 3% de probabilidades para que, ya de adulto, obtenga un trabajo como abogado o financiero; en sentido opuesto, el hijo de un profesionista con estudios universitarios sólo tiene 2% de probabilidad de dedicarse a la agricultura.

Estos datos prueban que el *self-made man* —concepto que se traduciría en castellano como «el hombre que se hizo a sí mismo»— es en México una fantasía. Aunque hay excepciones, la regla es que los camellos dan camellitos. Esta reflexión se hace más interesante cuando se incorporan los abuelos y bisabuelos al escenario. El profesor en economía Gregory Clark publicó en 2014 un libro crucial para comprender la movilidad social en Inglaterra y otros países: *The Son Also Rises*. Con una base del registro civil británico, que arranca a finales del siglo XVIII, explora la influencia que la cuna tiene sobre el destino de las personas. Ahí afirma que el estatus social es heredado, tanto como cualquier otro rasgo biológico: el color de los ojos o la altura de la persona. Asegura Clark que «el estatus de los padres o de los abuelos es mejor predictor del estatus de la persona que los ingresos, la riqueza, la educación o la ocupación». Esa misma variable es muy influyente en la salud y la longevidad de los descendientes.

Este estudioso de la movilidad social demuestra cuán poco ha servido el combate al nepotismo en la distribución de los cargos de gobierno o las empresas; tampoco ha contribuido para igualar oportunidades el sistema educativo impulsado a partir del siglo XIX. La conclusión es que la movilidad social es un fenómeno cuya ocurrencia sucede de manera muy lenta y por lo general ocurre entre generaciones. Los hallazgos de Clark llevan a concluir que el ascensor mexicano no es el único que se encuentra descompuesto. Cabe sin embargo suponer que las asimetrías del Mirreynato son más agudas, ya que el nepotismo tiene un peso mayor sobre el mercado laboral mexicano, de acuerdo con los argumentos antes citados de Murillo e Islas.

Tanto para los varones como para las personas del sexo femenino, el primer empleo es determinante. El trabajo de estos mismos investigadores mexicanos abunda: si el primer trabajo de una persona fue de obrero de la construcción, resulta poco factible que a mitad de la vida esa persona sea comerciante o trabajador en una industria manufacturera. Entre las mujeres esta regla es aún más rígida: quien comenzó a los quince años como empleada del hogar muy probablemente dejará de trabajar a los sesenta y cinco o setenta años ejerciendo el mismo oficio. El único momento en que se observa una curva ascendente en la mayoría de las mujeres mexicanas, al menos desde el plano de los ingresos, es entre los 15 y los 20 años. Después de esa edad el promedio de su salario se estancará hasta el final de su trayectoria laboral. En parte, esta circunstancia se debe a las entradas y salidas del mercado del trabajo referidas en el capítulo anterior.

La edad de ingreso al primer empleo es también fundamental a la hora de definir la ruta laboral de una persona. Mientras más arriba se encuentre en la escalera social, el trabajador se empleará más grande en edad; en cambio, cuando la necesidad económica aprieta a las familias, las hijas y los hijos son enviados pronto a laborar. Dado que el trabajo que puede obtener un ser humano a la edad adolescente es por lo general manual y de baja calificación, y que la regla del primer empleo aplica para casi todas las personas, la entrada adelantada al mercado del trabajo significa una condena que terminará pagándose a lo largo de la vida. A esto se suma el conflicto que significa cumplir con los horarios exigidos por un empleo normal y cursar la escuela. Es muy común que una escolaridad precaria sea coincidente con la ocupación temprana de un puesto remunerado.

A pesar de los datos que en México y en el mundo cuestionan la existencia de una verdadera movilidad social, las personas se venden a sí mismas una ilusión disonante: creen que subirse al ascensor es un acto meramente de la voluntad individual. Como ya se argumentó en el capítulo anterior, 30% de las personas afirman que la razón principal por la que no se obtiene un mejor empleo es la flojera para trabajar. Se añaden 24% que ofrecen como explicación la falta de estudios y 15% que argumentan la escasez de puestos de trabajo. Únicamente 1% señalan como causa la falta de generosidad de las personas más aventajadas y 2% dicen que el problema se deriva de las decisiones equivocadas de los políticos. Al mismo tiempo, 3% acusan como causa la injusticia del sistema económico. Estos registros pueden consultarse en la Encuesta sobre Movilidad Social de 2012 (Emovi), en la cual se basa el reporte del CEEY.

De todas, la cifra más curiosa es la que se refiere al origen social: apenas 4% de los entrevistados afirma que su estatus es consecuencia de la familia donde nació. Al parecer, la evidencia científica nada puede contra la necesidad de engañarse a propósito de una circunstancia que resulta difícil de cambiar. Es mejor pensar que la flojera y no la cuna son la razón de la inmovilidad: al menos lo primero puede modificarse, mientras que lo segundo no tiene solución.

El mercado del matrimonio

Cabe señalar aquí que hay otra variable con capacidad potente de predicción para el ascenso o descenso social: el matrimonio. Afirma sin florituras Gregory Clark: «Una vez que elegiste a tu pareja de matrimonio, tu trabajo está prácticamente terminado. Puede menospreciarse prácticamente todo lo demás. [Dependiendo de ello] los hijos tendrán, o no, una vida asegurada». De ser cierta esta afirmación puede evitarse la movilidad hacia abajo si se logra hacer una elección conveniente de pareja para constituir familia. Ahora que si hombres o mujeres logran romper la barrera del amor prohibido —del amor descastado—, el salto ascendente también puede ser vertiginoso. Esta trayectoria es materia codiciada para vender historias literarias, televisivas o cinematográficas. Ya se dijo antes: la fábula de la cortesana y el aristócrata atrae masas. Es el argumento de los hermanos Grimm en *La Cenicienta*.

En la producción cultural puede encontrarse una variación de ese mismo arco narrativo: se trata del cuento de la cortesana que es engañada por el príncipe malvado, un hombre que abusa de su inocencia sólo para obtener sexo. Es la tragedia de Fantine en *Los miserables* de Victor Hugo, la jovencita engañada que tiene una hija bastarda por la que debe aceptar un trabajo tan ignominioso como lo es el de prostituta. Al final, el castigo contra la candidez termina siendo una muerte sórdida.

En contraste con Cenicienta, esta otra formulación resulta útil para blindar a la sociedad del estamento superior frente a las relaciones descastadas que pueden significar el descenso para sus integrantes; es una historia diseñada para fortalecer la prohibición a partir del límite que la cortesana debería imponerse a sí misma y que termina favoreciendo los intereses del aristócrata.

Sería injusto no reconocer aquí que Victor Hugo logra burlar las consecuencias de la prohibición cuando la hija de Fantine, Cosette —gracias a la generosidad de su padre adoptivo, Jan Valjean—, triunfa socialmente y obtiene un matrimonio aristocrático. Con todo, resulta obvio, esta historia no tiene validez estadística: lo frecuente es la prohibición que triunfa. Todos los marcadores discriminatorios mencionados con anterioridad juegan para disolver las relaciones que se valoran como inadecuadas: la raza, la cultura, la religión, el genotipo, la apariencia física, la clase, etcétera. El castigo mítico por transgredir la norma es la fealdad cuando no la deformidad de los hijos.

Puede escapar una persona civilizada del siglo XXI a este tabú y sin embargo es potente y capaz de seducir desde el plano de la inconsciencia, y es que la sociedad y sus emociones premian a quienes supieron elegir como pareja a alguien de su mismo estatus social. Afirma la gente de bien que eso es lo que corresponde: «¡Cada oveja con su pareja!», repiten arriba y abajo del edificio social.

Llega a preferirse una boda entre parientes que rozan el incesto que entre personas pertenecientes a un estrato social distinto. Un ejemplo sorprendente, advierte Clark, es el notable parecido que suele existir entre el padre y su yerno; las mujeres parecieran estar programadas para buscar en el mercado del matrimonio un producto lo más parecido posible a su progenitor. (Aunque no da cuenta de ello, probablemente en el caso de los hijos y sus madres sea igual). Claro está, siempre y cuando la biografía de ese varón ofrezca una trayectoria aceptable. El hombre será apreciado socialmente si puede proveer con generosidad, si es capaz de pagar las colegiaturas y si cuenta con habilidades para mantener a su prole dentro de la red social apreciada.

Aun si rompe con el romanticismo predominante, vale la pena insistir en el concepto del «mercado del matrimonio», desarrollado hace más de medio siglo por el economista Gary Becker. Suena sentimentalmente inoportuno y sin embargo, así como en el pasado se celebraban matrimonios arreglados, en el presente el amor aplaudido es aquel que sucede entre las personas que se consideran «objetivamente» adecuadas para procrear descendencia.

Esta verdad ocurre sobre todo en los últimos pisos del edificio social: ahí la mujer preferirá casarse con un abogado que ya tenga su propio despacho y sea económicamente exitoso, que con su compañero de secundaria cuyo futuro a esa edad todavía es incierto. En este tenor quedan descartadas para contraer matrimonio las personas que ella conoció en una noche de fiesta y copas, si los antecedentes familiares del objeto de la aventura no son satisfactorios. Acaso las costumbres de la era permiten una noche de satisfacción sensual con él, pero no una relación formal y estable. De manera anecdótica vale aquí mencionar el papel que juegan los viajes de las mujeres solteras de la clase alta mexicana al continente europeo una vez que han terminado sus estudios de preparatoria: son famosas las historias de romance descastado que ellas se permiten vivir y que luego servirán para contarse, pasados los años, entre suspiro y suspiro mientras toman café con las amigas.

Las residentes del sexo femenino que habitan los pisos nueve y diez cuentan con menos seguridad sobre su permanencia en el mismo estrato social, ya que el marido influye mucho en tal circunstancia. Cabe también especular que esas mujeres corren el riesgo de la caída cuando les ocurre la mala fortuna de un divorcio o la viudez, sobre todo si su pareja no previó o no quiso protegerlas. Y es que en una sociedad como la mexicana el estatus social de las mujeres todavía depende mucho del de sus esposos. El mayor costo lo pagan aquellas que no cuentan con autonomía financiera al ser escasa su experiencia laboral y no haber heredado de sus padres.

Otro lado oscuro del mercado del matrimonio lo describen impecablemente June Carbone y Naomi Cahn en un texto publicado también en 2014, cuyo objeto es explicar la manera en que la movilidad atrofiada está afectando a la familia estadounidense. Afirman estas investigadoras que en el mercado del matrimonio, quienes más pierden son las mujeres situadas en la parte baja del edificio social; este mecanismo se ha convertido en una maquinaria despiadada para la exclusión.

El problema comienza cuando los hombres con mayor talento y educación buscan cotizarse entre las mujeres situadas en los estratos socioeconómicos elevados. Mientras tanto, aseguran Carbone y Cahn, las mujeres de la planta baja deben conformarse con los varones menos productivos desde el punto de vista económico, y que pueden ser también los más irresponsables con respecto a su paternidad.

Analizando a las poblaciones pauperizadas de los barrios latinos y afrodescendientes de algunas ciudades de Estados Unidos, estas sociólogas concluyen que las mujeres nacidas pobres tenderán a padecer parejas violentas, con propensión al abandono y desinteresadas en la construcción de un hogar. A lo anterior se suma que, mientras más altas son las tasas de desigualdad, los varones suelen verse afectados de manera crónica por el desempleo, la estancia en prisión y el abuso de drogas.

Es común que las mujeres residentes en la planta baja terminen teniendo varias parejas sentimentales durante su periodo reproductivo y conciban varios hijos de padres distintos; al final serán esas mujeres quienes carguen solas con el peso económico del hogar. El problema se repetirá después con sus hijas y probablemente con alguna parte de su descendencia masculina.

No existe en México un estudio como el realizado por Carbone y Cahn pero cabe intuir que sus hallazgos serían similares si se comparan con la vida de muchas mujeres mexicanas, jefas de familia, condenadas a vivirse fuera del cierre social.

Los de izquierda y los de derecha

Una última reflexión relacionada con la trayectoria vital y la ideología merece ser mencionada aquí. De acuerdo con la información arrojada por la Emovi, los investigadores Raymundo Campos, Juan Enrique Huerta y Roberto Vélez Grajales encontraron que la experiencia de movilidad social de las personas termina influyendo en cuán de derecha o de izquierda se asumen dentro del espectro ideológico. Al parecer, las personas que durante su propio ciclo de vida lograron ascender de nivel tienden a apropiarse de valores progresistas y poseen preocupaciones sociales relevantes; en cambio, quienes le deben el ascenso a una dinámica intergeneracional se identifican mejor con una ética conservadora y de derecha.

En este capítulo se visitaron las razones de la movilidad, sobre todo a partir del papel que juega el capital relacional —la red social de las personas— en la obtención de empleo y salario; quedó sin embargo pendiente observar el desempeño del ascensor social a partir de la formación educativa que reciben los individuos. A partir de la intuición podría suponerse que el centro escolar impulsa a las personas de manera ascendente y que como resultado de esa dinámica mejoran los ingresos de las familias y sus integrantes.

La mayoría de las investigaciones realizadas sobre el vínculo entre movilidad y educación fallan en demostrar la correlación esperada: hay matices y contextos que disuaden de esa convicción. Al parecer no es cierto que, para destrabar el ascensor, bastaría con multiplicar los años de escolaridad en una sociedad determinada. Este es el tema que será abordado en el siguiente capítulo.

VIII
Mala educación

La educación en el Mexiquito

«A mí me tocó presenciar cuando uno de esos mirreyes humilló a otro maestro que impartía derecho. Mi colega pidió al alumno que aprendiera leyes ya que, al ser heredero de una empresa grande de México, iba a necesitar entender de conflictos legales. La respuesta del muchacho fue simple y tajante: "Voy a contratar asesores muy chingones para que hagan la chamba. Es más, si quieres, de una vez te contrato a ti"». Esto lo cuenta un exprofesor de uno de los colegios propiedad de la orden de los Legionarios de Cristo.

Anécdotas como ésta no necesitan buscarse, las hay en abundancia. El mirrey de los colegios más caros asume como verdad incuestionable que el maestro no puede morder la mano que le da de comer. Según su comprensión de las cosas, el docente es un empleado igual a cualquier otro que atiende sus necesidades domésticas. ¿Por qué habría de educarle alguien que no es de su misma educación? El uso del verbo *ser* no debe pasar desapercibido. La buena educación es sinónimo de buena cuna y no de conocimientos; viene con el paquete heredado y no con el aprendizaje que se obtiene en la escuela.

No ser de la misma educación significa pertenecer a una clase social distinta. El desprecio por el docente surge porque no hay nada que aprender de alguien cuyo origen social es diferente. El mirrey no es capaz de encontrar atributos en ese otro, estigmatizado por su estatus social, cuya edad o conocimientos son irrelevantes.

Se suma a esa convicción el menosprecio ejercido contra cualquiera que se encuentre bajo la nómina del mirrey: «Si te doy de comer, ¿cómo pretendes tener autoridad? ¿Quién eres tú para sancionar mi comportamiento?».

Es frecuente la humillación en contra de los docentes dentro de las escuelas dedicadas a educar a los vástagos del Mirreynato. Comienza cuando la dirección escolar les prohíbe, so pena de solicitar su renuncia, colocar una nota reprobatoria a los alumnos consentidos.

Cuenta Alejandra, una madre de familia: «A mi hija le ha tocado estar sentada junto a la hija de una actriz famosa que está casada con un político. Cuando a su compañera le pasan el examen de francés, ella sólo pone el nombre y lo entrega al maestro. En la escuela tienen consigna de darles 8 de calificación, sin importar lo que respondan en las pruebas».

La instrucción es precisa: no debe reprobarse a los alumnos que están en la lista de excepción.

¿Qué debe explicar Alejandra a su hija? ¿Cómo justificar que está siendo educada, desde el salón de clases, para respetar los privilegios injustos de la sociedad donde le tocó nacer?

No sólo la impunidad se promueve en esos centros escolares, también la corrupción: cuentan los alumnos sobre el profesor que recibe sobres con dinero, al final del semestre, a cambio de otorgar una calificación aprobatoria a los alumnos faltistas.

Un estudiante de la Universidad Iberoamericana asegura que varios de sus compañeros de clase fueron invitados a viajar en un *jet* particular a Baja California Sur para visitar el santuario de las ballenas, ya que un profesor ofreció regalar a todos los tripulantes una buena nota a cambio de esa aventura.

Luego están los alumnos que contratan a sus compañeros para que hagan los trabajos con los que serán calificados para aprobar la materia. Según los estudiantes entrevistados, los montos por tarea van de los cinco mil a los diez mil pesos y cabe que un mirrey llegue a gastar hasta cincuenta mil pesos en tales encargos.

Las autoridades escolares no son ajenas a estas prácticas, las conocen y algunas las auspician. Cuenta un alumno de la Universidad Anáhuac: «Tengo un compañero que no lo vi pararse en clase en todo el semestre. Bueno, entró al salón el primero y el último día del curso, y sin embargo aprobó con una buena nota la materia. Quienes lo conocemos sabíamos que su padre hizo una donación importante para el Instituto Cumbres y que con ella se construyó una estatua de la Virgen».

Los Legionarios de Cristo son una orden con gran fama por tres razones: primero, en sus escuelas se forma una parte importante de la élite joven del Mirreynato; segundo, esa organización cuenta con un negocio muy redituable que según diversos cálculos tendría ingresos, sólo en México, por 2 300 millones de pesos anuales y, tercero, el fundador fue un hombre muy deshonesto que impuso durante décadas sus desviaciones sexuales contra la salud psíquica de varios menores de edad.

No deja de ser extraordinario que, a pesar de los dos últimos argumentos —públicos e irrefutables—, las familias más poderosas del país, económicamente hablando, sigan prefiriendo enviar a su descendencia para que los Legionarios les eduquen en los valores apreciados por esa organización.

En un reportaje del periodista Raúl Olmos, «La mafia financiera de los Legionarios de Cristo», publicado por la revista *Emeequis* del 10 de junio de 2013, se afirma que los recursos de esta orden han servido para financiar a la industria armamentista y también al negocio internacional de la pornografía. En un libro de próxima publicación, Olmos asegura que la Legión tiene intereses económicos en UTC United Technologies Corp., una empresa dedicada al desarrollo de tecnología militar. También estaría involucrada con Textron, otra empresa dedicada a actividades comerciales relacionadas con la defensa y el armamento de los gobiernos. Olmos afirma también que los Legionarios han invertido en Liberty Media, una productora internacional dedicada a la pornografía.

La fuente principal de este periodista es el sacerdote Pablo Pérez Guajardo, quien fuera integrante de la Legión durante treinta y nueve años y por algún tiempo asistente del administrador general de la orden. De acuerdo con este testigo, en vida Marcial Maciel instruyó que los dineros de su emporio fuesen también invertidos en esos negocios, en principio antagónicos con la moral católica, apostólica y romana.

Es intrigante que las donaciones solicitadas por los Legionarios para otorgar impunidad a los hijos faltistas de los mexicanos privilegiados terminen financiando industrias tan peculiares como las citadas por Olmos, aunque estas actividades económicas de los Legionarios no han hecho mella en su buena reputación como formadores de la descendencia mexicana mejor acomodada. La organización está vinculada con varias de las grandes empresas del país: inmobiliarias, grupos financieros, medios de comunicación, compañías telefónicas, bancos y un complejo laberinto residente en el *penthouse* nacional.

Pudo haber caído en desgracia el padre Maciel, pero los intereses económicos de esta orden siguen tan boyantes porque dentro de las escuelas que él fundó —Instituto Cumbres, Colegio Irlandés, Del Bosque, Universidad Anáhuac y otras varias instituciones afiliadas a la empresa Semper Altius— han transcurrido y obtenido títulos cientos de mirreyes contemporáneos.

Dice con disgusto el padre Pérez Guajardo: «Los Legionarios no pierden tiempo con los pobres o los de clase media: eligen vocaciones entre güeritos. La Legión se ha convertido en una agencia de *escorts*: te rentan sacerdotes bonitos y caros para tus eventos sociales, bodas, funerales y primeras comuniones». La fuente es otra vez el premiado reportaje de Raúl Olmos.

Al parecer esta orden religiosa, imitando a otras que le antecedieron, logró levantar un negocio formidable porque la élite mexicana la hizo depositaria de una demanda principal: contar con un club social que tuviera como fachada una escuela. Una institución responsable de otorgar legitimidad de clase a la vez que entrega títulos académicos no respaldados por los conocimientos: lo que importa ahí dentro son los conocidos —los contactos— y no la calidad del conocimiento. Son centros educativos que administran, por sobre todas las cosas, el capital relacional.

Así lo afirma otro alumno, también de la Universidad Anáhuac: "Si te paras y preguntas ahí a cualquier alumno, «¿Qué es lo más importante de una universidad?", te va a decir "Los contactos". Si sales con contactos, sales teniendo oportunidades. [Si] tú te llevas con el hijo de un abogado, desde tercer semestre te va a meter a trabajar con su papá. Lo fundamental para obtener un empleo son los contactos, en un 50%, luego los conocimientos, en un 30%, y el talento, en un 20%».

No hay mejor retrato del piso 10 mexicano que el estacionamiento de la Universidad Anáhuac del Norte. Es probable que en Beverly Hills, cerca de Los Ángeles, California, no se exhiba un parque vehicular tan ostentoso como el que se encuentra en esa propiedad de los Legionarios de Cristo. También es factible que en ese mismo estacionamiento haya más hombres armados que en la oficina principal del procurador general de la República.

Ya en el capítulo II se habló de los viajes que acostumbran los mirreyes más jóvenes para estrechar sus lazos de amistad. Hay dos de ellos que resulta pertinente consignar en este capítulo: el viaje de intercambio durante el segundo año de secundaria y el que sucede a mitad de los estudios de licenciatura. Cada una de esas experiencias ronda en costo los setecientos mil pesos y tienen por objeto mostrar a los chicos el mundo que hay más allá de su pequeño cosmos, y de paso ayudarlos a mejorar el dominio del inglés.

La experiencia para cursar un año de secundaria suele resolverse en Vancouver, Nueva York, Dublín o Boston, cuando los padres deciden enviarlos a una ciudad grande. Sin embargo, hay muchas otras instituciones radicadas en poblados pequeños que se han especializado en atender a estudiantes latinoamericanos para que puedan cumplir con la materia de haber vivido fuera del hogar.

Afirma Sandra, otra madre entrevistada: «Segundo (de secundaria) es un año muy difícil, todos los vagos se van de la escuela porque no quieren estudiar biología, porque saben que no van a poder con la química. Se van y cuando regresan van ante la Secretaría de Educación y revalidan el año aunque allá no hayan estudiado nunca biología».

Complementa otra mamá: «Hay papás que no entiendo cómo pagan. Yo soy de las que se ponen a investigar y son colegios [en el extranjero] donde resulta que llega a haber hasta veinte o treinta mexicanos. ¿Para qué ir tan lejos si fuera del país van a convivir de nuevo con sus vecinos? No entiendo a los mexicanos, mandan a sus hijos a un negocio redondo [para esas escuelas] porque allá van a reunirse con otros mexicanos con quienes hablarán en español, y pagan y les cuesta el chistecito, entre aviones y el hospedaje, más de medio millón de pesos. Nadie les exige nada por allá, las niñas se la pasan bomba».

Luego, siete años después, se repite la experiencia en la licenciatura. Instituciones como las universidades Iberoamericana o Anáhuac promueven que sus estudiantes cursen un semestre fuera del país como parte de su formación. Afirma una estudiante: «En España cursas dos materias, te la llevas leve, viajas todos los fines de semana a Sevilla, a Barcelona, revientas y luego, cuando regresas, el coordinador de la carrera te ayuda a revalidar cinco materias [y no dos]».

Estos viajes tienen como propósito fortalecer la misma red social que han venido alimentando estos chicos desde la infancia. No buscan exponer a esos estudiantes a un contexto novedoso o desafiante: van tan protegidos, desde el punto de vista económico, que la experiencia del extranjero poco puede hacer para ayudarlos a tomar conciencia sobre quiénes son ante otra cultura y otro territorio.

La universidad se ha convertido también en un tianguis privilegiado para el mercado del matrimonio; esas instituciones, además de ofrecer un título universitario, sirven como jardines prenupciales. En este contexto llama la atención el papel asignado para algunas mujeres del Mirreynato. De nuevo la voz de Alejandra: «Mi hija tiene una amiga que le dijo a su mamá que ella no se iba a sacar dieces sino ochos porque si se sacaba dieces no iba a tener amigos y tenía razón... Se penaliza a las niñas listas; a los niños les impone mucho que las niñas sean más listas que ellos. Mis hijas tienen amigos pero yo siento que sus amigos les tienen respeto y no se acercan en plan más de amistad y de ligue porque ellas [les] imponen».

Artemisa refuerza la idea: «Yo le digo a mi hija, "Ahora que entres a la universidad te vas a hacer un poco la mensa porque no confío en eso de que las calificaciones están online y entonces todos van a saber lo buena que eres para la escuela"».

Estas anécdotas sirven para comprender por qué el sistema educativo de la élite no estimula aspiraciones ni desempeño destacados en el plano académico. Como ya se mencionó antes, la mujer profesionista no es la persona más disputada entre los varones del Mirreynato. Una ilustración de la pobreza de formación de estas escuelas se halla en la ortografía de los *chats* que tienen lugar a través de las redes sociales: ahí la masacre sobre la lengua sucede sin piedad ni vergüenza.

De nuevo la voz de Sandra: «Yo tengo un *chat* de mamás que me muero, ahorita están peleando dos por una paellera, no lo puedo creer. Me dan ganas de escribirles para que ya se dejen de estar peleando, por favor, y todo con una ortografía horrenda, y es que no leen ni en defensa propia».

No deja de ser un desperdicio pagar colegiaturas tan elevadas para que los hijos obtengan a cambio conocidos y no conocimientos. Debería estar contra la ley que esos clubes sociales tengan autorización para emitir certificados de secundaria, preparatoria o universidad.

Pero esta mediocridad no es obra del azar: los poderosos han decidido educar de esta manera a su descendencia y parecen estar tranquilos porque saben que nadie les cobrará el error.

Sirva aquí como reflexión la de Santiago, un padre que trabaja para una empresa de publicidad: «Acabo de contratar a una chava colombiana que le gira la piedra durísimo [es muy inteligente]. Me pregunto dónde están los chicos mexicanos y la verdad es que están en la luna: saliendo de la universidad quieren un sueldo de treinta mil pesos, y si les preguntas bien a bien en qué quieren trabajar, te contestan que necesitan un empleo que esté cerca de su casa para poder ir a comer todos los días. Eso quieren, comodidad; no saben trabajar. En cambio viene una colombiana, con hambre y preparadísima, a la que no le importa el horario y de verdad no sabes la diferencia».

Educación, convergencia y desigualdad

Se mencionó en el capítulo VI del libro que México no invierte lo suficiente en educar a su población. De acuerdo con el *Fact-*

book de la CIA, el país ocupa el lugar 72 entre todas las naciones por su presupuesto anual en este renglón; mientras Cuba invierte alrededor de 13% de su PIB y Venezuela o Bolivia alrededor de 6.9, México sólo aporta 5.1%.

La mayoría de las fallas del sistema educativo podrían asignarse a esta explicación pero la carencia de recursos no es el único problema. Como todo lo demás en el Mirreynato, la arquitectura de la educación mexicana también está diseñada para asegurar la desigualdad y asimetría entre los habitantes del edificio social. Contrario a lo que debería suponerse, no sirve para mejorar las oportunidades de empleo, para incrementar el ingreso, impulsar la movilidad social, crecer la productividad, o para integrar una comunidad que se asuma como parte de un mismo cuerpo social.

Thomas Piketty advierte en su libro, *El capital en el siglo XXI*, que el principal antídoto contra la desigualdad es la difusión del conocimiento y la capacitación de las personas: «Los pobres alcanzan a los ricos en la medida en que adquieren el mismo nivel de herramientas y habilidades cognitivas y tecnológicas». De ahí que sea preocupante la incompetencia del sistema mexicano de educación para redistribuir las oportunidades.

Se observa en realidad lo contrario, este sistema distingue entre las escuelas privadas y las públicas, entre zonas urbanas y rurales, entre regiones indígenas y mestizas, entre el norte y el sur, entre hombres y mujeres, entre educación especial y educación regular, entre generaciones, etcétera. En vez de que la educación promueva la convergencia referida por Piketty, es una de las llaves que se usan en México para cerrar el acceso. De todos los reclamos que pudieran hacerse al sistema educativo mexicano, uno es el más grave: no sirve hoy para separar el logro económico del origen social de las personas.

Dice Piketty que la desigualdad es resultado de un desfase entre el desarrollo de la tecnología y las capacidades que tienen los individuos para utilizar esa tecnología. Póngase como ejemplo el de dos despachos de contadores, uno que utiliza hojas de cálculo en computadora para determinar los impuestos que deben pagar sus clientes y otro que prefiere seguir llevando todos los registros y cuentas a mano. ¿Cuánto tiempo pasará antes de que el segundo negocio tenga que bajar la cortina y el primero se quede con los clientes de ambos?

El desfase entre competencias y tecnología representa un riesgo grave que ninguna sociedad debería permitirse. Cuando el conocimiento de las matemáticas, las ciencias o las lenguas se distribuye de manera desigual, los que se beneficien de esas competencias tenderán a colocarse en la parte alta del edificio social y los que no cuenten con tal oportunidad serán lanzados al sótano de la pirámide.

Recomienda Piketty que para evitar ese cierre social discriminatorio, la oferta de competencias a disposición de las personas debe crecer al mismo ritmo de las necesidades tecnológicas, de ahí que el sistema educativo requiere ser continuamente reforzado para producir conocimientos y habilidades en un compás igual o superior de tiempo que el del desarrollo tecnológico.

No sobra decir que en el mediano plazo la distancia entre conocimiento y tecnología impacta fuerte en la productividad y los salarios: aquí entra el argumento por el cual resultan preocupantes los resultados en México de las evaluaciones educativas. De acuerdo con esos datos, 8 de cada 10 estudiantes mexicanos de quince años no cuentan con las competencias mínimas para impulsar y beneficiarse de la productividad.

¿Qué dice PISA*?*

Desde el año 2000 se realiza en México esta prueba creada para medir competencias en tres áreas del conocimiento: matemáticas, comprensión lectora y ciencias. El mismo examen se practica en alrededor de cincuenta países, lo cual permite que los resultados obtenidos puedan compararse. La Organización para la Cooperación y el Desarrollo Económicos (OCDE) es responsable de este enorme esfuerzo que conduce a través del Programa Internacional para la Evaluación de Estudiantes, que por sus siglas en inglés se conoce popularmente como PISA.

Esta prueba mide la habilidad de los estudiantes del tercer año de secundaria para interactuar con el aprendizaje que reciben en la escuela. Por ejemplo, en comprensión lectora el objetivo es observar la interacción con el texto. Al chico se le entrega un documento breve para que sea leído, y con posterioridad se le pide que lo explique en sus propias palabras, que exprese su opinión, que vincule conocimientos obtenidos en otra parte con los argumentos del texto, en fin, que agregue valor a partir de su propia experiencia.

PISA mide en este sentido la capacidad del alumno para hacer inferencias, construir hipótesis, obtener interpretaciones y añadir reflexión crítica. En matemáticas se sigue la misma lógica: esta prueba ayuda a determinar el grado de apropiación que las y los estudiantes hacen sobre las competencias aprendidas. ¿Cómo incorporan los números y sus fórmulas a la vida cotidiana? En cuanto a las ciencias también se busca capturar el nivel de comprensión sobre los fenómenos de la naturaleza y la manera en que los conocimientos son utilizados en circunstancias reales.

Los primeros niveles de PISA muestran conocimientos básicos —realmente precarios—, mientras que los últimos capturan no sólo el aprendizaje sino el valor agregado por el educando. Los resultados de esta prueba registran niveles que van del 0 al 6: los resultados próximos al 0 indican que la persona evaluada tiene una interacción muy pobre con los conocimientos, y quien logre ubicarse en el 6 resulta capaz de agregar valor y de hacer inferencias complejas a propósito del aprendizaje obtenido.

Esta prueba se ha realizado en México en siete ocasiones y por desgracia no se observa variación importante durante los últimos catorce años. En 2012 la prueba indicó que 95% de las personas evaluadas se encuentran entre los niveles 0 y 3; de hecho, 8 de cada 10 están ubicadas entre los niveles 0 y 2. En la última edición de PISA, 82% de los menores evaluados en matemáticas se encuentran en los últimos niveles, y ahí mismo está 84% de los estudiantes que presentaron la prueba en ciencias y 75% de quienes concurrieron al examen en comprensión lectora.

En cuanto a los educandos que se encuentran más arriba hay que decir que en 2012 sólo 13.8% lograron llegar al nivel 3 en ciencias, 13.1 obtuvieron resultados similares en matemáticas y casi 20% se situaron en ese nivel en comprensión lectora. El restante 5% de las y los menores de edad se ubicaron por excepción entre los niveles 4 a 6 del registro que utiliza PISA.

Antes de conocer estos números, intuitivamente podría suponerse que la riqueza y el ingreso de las familias de estos estudiantes son variables que impactan en los resultados. Mientras mejor es la situación económica, más alto debería ser el puntaje en las pruebas; sin embargo, con los datos aportados por PISA esa hipótesis no resulta del todo correcta.

Para hacer la comparación es necesario regresar a la metáfora del multifamiliar de diez pisos. Como se recordará, en el último nivel viven las familias con mayores ingresos y en el primero las más pobres. Cuando se comparan los resultados de la prueba resulta que la diferencia en calificación es sólo de 10% entre los estudiantes que nacieron en el *penthouse* y quienes son originarios de la planta baja. En otras palabras, si el promedio de la nota en matemáticas para el joven indígena que vive en la sierra de Guerrero fuera de 6 sobre 10, la calificación del joven que nació en la colonia más rica del país sería de 6.6. Sorprende esta cifra porque, en promedio, las familias más ricas de México cuentan con ingresos muy superiores a los hogares menos aventajados.

Cabe mencionar que las notas de la evaluación obtenidas por los menores de edad que viven en los tres primeros pisos no tienen variación: el mismo resultado obtienen quienes provienen de un hogar cuyos ingresos mensuales son de 2 332 pesos que sus vecinos dos pisos arriba, cuyas entradas por mes rondan los 5 244 pesos.

Luego, los niños residentes en los pisos 4, 5 y 6 también obtienen calificaciones muy parecidas; prácticamente no tienen variación entre ellos. ¿Qué tanta diferencia hay entre los niños de clase media y los que viven en el *penthouse*? De acuerdo con los datos de PISA, si un niño nacido en el piso 5 obtuvo 8 en matemáticas, su compañero del último nivel obtendría una calificación de 8.5 sobre 10. De nuevo, llama la atención este indicador cuando debe recordarse que las familias del *penthouse* cuentan, cuando menos, con un ingreso cinco veces mayor a los residentes de los niveles intermedios.

En resumen, el ingreso económico de los hogares donde viven los estudiantes evaluados por PISA no alcanza para predecir un buen desempeño escolar. Es probable que para obtener conclusiones más robustas se requiera contar con una muestra más grande de alumnos. Sin embargo, según cálculos celebrados por el investigador Ángel Iván Olvera Lozano para los propósitos de este libro, la correlación estadística entre el ingreso familiar y los resultados de la prueba PISA es significativa. No obstante, su peso es menor de lo que podría suponerse; vale repetir que la diferencia entre los habitantes del piso más elevado y los que residen en los primeros tres niveles es sólo de 10% con respecto a sus notas en matemáticas, lectura y ciencias. En contraste, para quienes viven en los pisos intermedios —del 3 al 8— la diferencia no es relevante.

Otra pregunta que despierta curiosidad es si la asistencia a una escuela pública o privada repercute en los resultados de la prueba PISA. Dado que los padres de familia con una posición económica aventajada disponen de cantidades importantes para pagar la colegiatura de sus hijos en una escuela privada, cabría suponer que esa inversión regresa en forma de calidad educativa para beneficio de sus hijos.

Pues no es cierto que los estudiantes de las escuelas privadas sean significativamente mejores que quienes estudian en las escuelas públicas. Acaso una ligera diferencia se aprecia en los exámenes de matemáticas, pero el indicador estadístico es muy pequeño. En las otras dos materias evaluadas no hay correlación que se sostenga.

Si se analiza por diferencia porcentual resulta que en matemáticas los estudiantes de escuelas privadas obtienen una nota 7.4% superior a quienes asisten a una escuela pública; esto quiere decir que cuando un estudiante de escuela pública obtiene una nota de 8, su contraparte de escuela privada logrará una calificación de 8.5 sobre 10. Las diferencias porcentuales en lectura y ciencias son similares. La variación es menor a la que se esperaría por el monto que algunas familias llegan a pagar como colegiatura para educar a sus hijos.

En este orden de ideas una tercera pregunta se relaciona con la diferencia que implica acudir a una escuela rural o a una urbana: en este caso la variación es de 10.4% para el caso de la prueba en matemáticas, 12.5% si se trata de comprensión lectora y 9.6% para ciencias. Aquí la evidencia es más robusta; los niveles educativos tienden a caer si el educando reside en el campo. Con todo, cabe decir que la distancia no es tan grande.

En resumen, no son realmente significativos el ingreso o el tipo de escuela (pública o privada), y poco influye la región (rural o urbana) a la hora de explicar los resultados de los estudiantes mexicanos ante la prueba PISA. ¿Qué variable es relevante entonces?

La importancia de llamarme como mi padre

Hay una relación directa entre la familia de origen y las expectativas: al parecer, el nivel educativo de los padres es clave para que al hijo le vaya bien en la escuela. Los progenitores que cuentan con estudios tienden a ser más exigentes con sus hijos. El informe *Movilidad Social en México 2013* del CEEY asegura que 6 de cada 10 profesionistas tuvieron un padre que antes logró un título de licenciatura; si el progenitor estudió sólo preparatoria, su hijo tendrá una posibilidad sobre tres de hacer una carrera. En contraste, si el papá hizo estudios de primaria, su hijo contará únicamente con 12% de probabilidad para estudiar licenciatura.

Mucho de lo que hacen los seres humanos ocurre primero por imitación: si en la casa donde se nació valora el estudio, es altamente probable que los hijos sean estimulados para cursar una buena escolaridad. Influye la biografía de los padres, pero también la de los hermanos mayores; si el primogénito obtuvo buenas notas, ingresó a la universidad y con ello logró un empleo prestigiado, los demás hermanos tenderán en principio a copiar esa trayectoria. Esa expectativa de futuro suele influir en el desempeño presente. Adán Murillo e Isabel Islas, en su artículo sobre méritos y amiguismo antes citado, hacen notar que un alumno de ocho años con aspiraciones a completar la educación media superior tiende a mejorar sus resultados académicos para la primaria en 27%. Si a lo anterior se añade que ese estudiante asiste a una escuela donde la mayoría de los compañeros comparte la misma ambición, entonces las calificaciones serán todavía mejores en alrededor de 36% o 37%. Porque somos animales que imitamos, un ambiente favorable para la educación parece ser el mejor predictor del logro académico, no importa si para ello se asistió a una escuela pública o privada, a una rural o urbana, si se vive en una zona residencial de lujo o si se proviene de la clase media baja.

Cuando lo anterior es cierto, lo opuesto también lo es: la adquisición de conocimientos no será principal en un ecosistema donde los alumnos pueden obtener buenas notas sin necesidad de asistir a la escuela, donde los alumnos compran sus trabajos y calificaciones gracias al dinero de papá, donde está mal visto que las niñas saquen buenas calificaciones ya que corren el riesgo de no casarse, o donde el niño que obtiene buenas notas termina siendo agredido o excluido por su grupo escolar.

Los datos obtenidos por la Encuesta Nacional de Juventud levantada en el año de 2005 son interesantes a este respecto. Ahí se dice que, en la población infantil entre los doce y los catorce años, sólo al 42% le gustaría continuar estudiando. En contraste, 15% preferiría comenzar a trabajar cuanto antes y 39% dice que no desea trabajar ni estudiar. Es decir que prácticamente 4 de cada 10 jóvenes tienen como aspiración convertirse en lo que comúnmente se denomina un *nini*: chicos y chicas que *ni* estudian *ni* trabajan.

Este ánimo sin grandes expectativas probablemente se fabrica desde la casa, se perpetúa en la escuela, lo refuerzan los medios de comunicación y encuentra argumentos en los modelos de vida observables entre los mayores.

Si, como se viene señalando a lo largo de todo el libro, el mérito y el esfuerzo son inútiles para mejorar la posición social, ¿por qué estudiar sería relevante? Si me ha tocado observar que a mi compañera le va mejor en calificaciones sin asistir a la escuela, ¿por qué debería creer que sacar un 10 en química o en matemáticas merece romperse la espalda sentada durante horas frente a un escritorio? Si los roles de éxito, según las revistas de sociales, los programas de televisión y la mitología de mi comunidad son personificados por aquellas personas que lograron reconocimiento gracias a razones desconectadas con su desempeño escolar, ¿por qué valorar el salón de clases?

Cabe temer que la sociedad mexicana haya creado un ambiente adverso a la superación por la vía del estudio. El desprecio por la escuela se ostenta escandalosamente desde el *penthouse* y luego lo imitan los niños y niñas residentes en el resto del edificio. En esto, como en tantos otros temas, los individuos de la élite envían un mensaje potente hacia el resto de la sociedad.

¿Cuánto de la percepción indiferente hacia la escuela tiene fundamento razonable? No es cierto que en México exista una mejoría notable de ingreso si la persona cuenta con estudios de primaria, secundaria o preparatoria; de hecho, si cursa una licenciatura es posible ver un salto en el salario pero no tan importante como podría suponerse. Hoy los datos a este respecto dicen que el verdadero brinco lo dan aquellas personas que lograron hacer estudios de posgrado.

De acuerdo con la Encuesta sobre Movilidad Social (Emovi) de 2006, los ingresos de una persona que no hizo estudios rondan los 2 903 pesos mensuales. En cambio, si el individuo concluyó la primaria el salario puede crecer hacia los 4 122 pesos. Luego, las entradas mensuales de una persona que concluyó la secundaria subirían a 5 354 y quien terminó la preparatoria alcanzaría la cifra mensual de 6 106 pesos mensuales.

Cabe detenerse aquí para señalar que en otros países donde los estudios técnicos adquiridos en el bachillerato son bien valorados —como Alemania, Japón o Estados Unidos—, la obtención de un certificado de preparatoria alcanza para beneficiarse de una vida buena donde la vivienda, el vestido, el alimento, la salud y la manutención de los hijos es posible y sobra.

En cambio, en México, quien no pudo llegar a la universidad está condenado a permanecer próximo al nivel de pobreza estipulado por el Coneval, a no ser que pueda juntar sus ingresos con los de otros integrantes de su familia.

Según la Emovi de 2006, las personas que obtienen un título de licenciatura logran en promedio una entrada mensual de

13 807 pesos. Es decir, que entre un mexicano sin estudios y otro con licenciatura el ingreso varía en aproximadamente seis veces.

Este argumento debería estimular a un niño para que llegue hasta la universidad. Sin embargo, desde muy temprana edad los menores saben que hay otras vías en México, más eficaces, para ganar trece mil pesos por mes. Cabe preguntarse para qué estudiar cuando por la vía del comercio, los puestos en la burocracia conseguidos por los amigos, el negocio familiar y otras conexiones de parentesco, o bien por la ruta de una actividad ilegal, es posible obtener ese mismo salario.

Todavía mejor fundada es la pregunta que se hace el niño nacido en el *penthouse*. Cuando se está consciente de que la herencia es el principal pilar de la posición social y que se vive en una sociedad donde la movilidad es una excepción y no la regla, se puede coincidir con la percepción de que esforzarse en el estudio es un ejercicio inútil; de ahí que sea mejor simular y por tanto inscribirse a una escuela cuya misión será agregarle valor a la trayectoria profesional gracias a la adquisición de conocidos y no de conocimientos.

En efecto, la escuela entendida como club social es el resultado y no la causa de la forma en que está organizado el edificio mexicano. Y, en esta misma hebra de ideas, vale también advertir que el negocio de asociaciones religiosas como los Legionarios de Cristo es también consecuencia y no la causa del problema.

Antes de cerrar estas reflexiones sobre la educación y el ingreso hay que decir también, de acuerdo con la Emovi de 2005, que una vez cruzada la frontera de la licenciatura los estudios de posgrado sí pagan bien en México. Alguien con maestría o doctorado llega a obtener un ingreso mensual promedio de poco más de cincuenta mil pesos mensuales. Es decir, que esforzarse para arribar a ese nivel tiene sentido; permite mudarse a vivir a los pisos nueve o diez del multifamiliar mexicano.

En consecuencia, un número mayor de personas deberían de intentar obtener un título de posgrado; no obstante, la ruta para llegar hasta ese puerto no es sencilla, son varios mares los que deben cruzarse. La primera frontera que un individuo ha de salvar es haber obtenido un logro académico sobresaliente desde sus primeros años de escolaridad, sin embargo, ese requisito va por lo general de la mano con un origen social privilegiado. Muy difícilmente llegan a la universidad quienes no destacaron como estudiantes en la primaria y normalmente esos estudiantes contaron con un hogar donde los problemas económicos estaban resueltos.

Una segunda frontera tiene que ver con la necesidad temprana de trabajar. Si el estudiante proviene de una familia que requiere de su aportación económica para sobrevivir, en un momento u otro sobrevendrá la imposición para que el educando haga coincidir estudios y trabajo y cabe siempre la posibilidad de que lo segundo termine desplazando en importancia a lo primero.

Se añade a esta circunstancia el argumento expuesto en el capítulo anterior donde se advirtió que una salida temprana al mundo laboral suele ofrecerle a la persona un empleo manual de baja calificación, del que luego será difícil deshacerse durante el resto de la trayectoria profesional.

Con todo, es la última frontera la que con mayor firmeza impide a los mejores estudiantes acceder a la universidad y luego cursar estudios de posgrado: se trata del mercado del crédito universitario. En México el gobierno suele dar becas a través del Consejo Nacional de Ciencia y Tecnología (Conacyt) y otros organismos gubernamentales, pero la acción de tales instancias se limita a unas cuantas decenas de miles de beneficiados; así ocurre en la mayoría de los países con los apoyos gubernamentales. Sin embargo, México es un lugar donde obtener un crédito es tan sencillo como pasar por el ojo de una aguja. Por lo pronto, los préstamos para realizar estudios profesionales son escasos cuando no inexistentes. A no ser que un familiar solvente ese esfuerzo, financiando manutención y colegiaturas, la dificultad para estudiar una maestría o un doctorado es muy grande. Es al final una paradoja: quienes pueden ganar más gracias a estos estudios son aquellos cuyas familias ya contaban con ingresos elevados.

Cabe también precisar que el mercado del trabajo premia de manera distinta a quienes hicieron estudios universitarios en escuelas privadas, con respecto a quienes cursaron una carrera en una institución pública. De acuerdo con análisis propio a partir de la ENIGH de 2012, el promedio de ingreso de las personas que acudieron a escuelas públicas es inferior al que perciben los individuos que se formaron en centros privados de educación.

Los ingresos de las personas que realizaron estudios profesionales en escuelas públicas oscilan entre los 8 139 y los 10 554 pesos al mes. En cambio, quienes estudiaron en escuelas privadas cuentan con un ingreso que va de los 12 453 a los 20 505 pesos. Otro tipo de análisis sobre los mismos datos —a partir de una regresión lineal— permite saber que, en promedio, una persona que estudió en una universidad financiada con recursos públicos obtendrá un salario 7 132 pesos menor que otra cuya alma máter haya sido una institución privada.

En resumen, México exhibe uno de los indicadores más bajos de correlación entre ingreso, educación y movilidad social. Algunos de los argumentos expuestos antes permiten comprender por qué. Las barreras de entrada al sistema educativo y las muchas aduanas que hay que cruzar en el camino hacen que el origen social de la persona tenga consecuencias fuertes sobre su destino educativo y a la postre laboral. Puede afirmarse aquí que el sistema educativo mexicano en vez de movilizar galvaniza la posición de las personas.

Productividad estancada

La productividad laboral de una persona se mide por la aportación que hace a la empresa o la oficina para la que trabaja. A su vez, el salario que recibe depende del volumen de esa aportación. Los trabajadores con menos competencias y habilidades suelen dar un rendimiento menor y por tanto su trabajo se valora con un precio más bajo en el mercado, de ahí que la educación y la capacitación de los trabajadores sean un asunto importante.

Desde esta perspectiva no sorprende que los gobiernos suelan ligar la política educativa con el objetivo de mejorar la productividad laboral. En principio una variable mueve a la otra: la adquisición de competencias hará que la persona ofrezca mayor valor agregado por su trabajo, lo que repercutirá sobre la unidad económica donde labora y también mejorará el salario y la calidad de vida del trabajador.

En México, desde 1989 se han observado dos cambios importantes relativos a la política educativa. De un lado creció la inversión en el sector: México pasó de un monto que rondaba por aquel entonces 2.3% de su PIB a una cifra que en la actualidad sobrepasa ligeramente 5%. Aunque esa inversión es insuficiente, con tales recursos fue posible ampliar la cobertura escolar.

En el presente cualquier niño o niña que quiera estudiar la primaria cuenta con una escuela próxima a su casa. Los datos de bachillerato también confirman este argumento: en 1991 sólo 35% de los jóvenes en edad de asistir a la preparatoria podían hacerlo, hoy esa cifra es del 60%.

Los analistas se sorprenden sin embargo cuando comparan el crecimiento de la cobertura educativa y el estancamiento de la tasa de productividad laboral. Lo mismo sucede, por razones obvias, cuando se relaciona esa cobertura con la inamovilidad del salario. ¿Por qué si la inversión se multiplicó y el sistema educativo extendió su presencia en la geografía mexicana, tanto el salario como la productividad permanecen pasmados?

La respuesta a esta interrogante está probablemente en la calidad y no en la cobertura educativa. De poco sirve multiplicar el número de aulas, pizarrones y mesabancos cuando las competencias precisas que el estudiante necesita adquirir no las ofrece el centro escolar. Los resultados de la prueba PISA, desde 2000 hasta 2012, dan cuenta de la situación. Durante todos estos años las evaluaciones dicen lo mismo: no hay avance en matemáticas, ciencias o comprensión lectora; de hecho hay años en que se aprecia un ligero retroceso. Mientras el tema de la calidad no sea atendido, los niveles salariales y las tasas de productividad permanecerán congelados.

A lo anterior debe sumarse que el mercado laboral mexicano tiene deficiencias a la hora de conectar la demanda de empleo con la oferta de las personas trabajadoras. Si no son las competencias, el mérito o el esfuerzo lo que cuenta para obtener un trabajo, entonces la empresa termina contratando según criterios ineficientes y por tanto no logra incorporar a los mejores recursos humanos para elevar, a su vez, su propia productividad.

Se trata de un ciclo vicioso: la distribución asimétrica de competencias impacta sobre los niveles de productividad y el salario. También influye el nepotismo que coloca los lazos familiares, el amiguismo y el compadrazgo por encima de otros criterios de mercado más eficientes a la hora de contratar a los mejores trabajadores.

Educación excluyente

Si bien es cierto que las escuelas públicas y las privadas arrojan un logro educativo similar, también lo es que la distinción sobre uno y otro tipo de escuela es muy eficiente para segregar entre grupos sociales. Se engaña quien cree que con sufragar una colegiatura de diez mil o veinte mil pesos mensuales logrará que sus hijos salgan mejor preparados: lo que el padre de familia cubre con ese monto es el costo derivado de colocar a su hijo sobre un pedestal apartado del resto de la sociedad. Se trata del mismo tipo de inversión que se realiza cuando se adquiere una propiedad inmobiliaria en una zona residencial exclusiva, cuando se paga un sobreprecio para volar en primera clase o cuando se cubre una inscripción carísima para poder jugar en el campo de golf más prestigiado del país.

En cada caso el propósito principal no es el que se presenta como obvio: la vivienda, el viaje o el deporte pasan a ser asuntos secundarios, lo mismo que la educación. Son el medio para otra cosa y esa otra cosa es la red de relaciones que puede alimentarse en los contextos citados, y tanto o más importante, poder evitar el contacto humano con el resto de los mortales, lo que el sujeto obtiene gracias al sobreprecio que estuvo dispuesto a pagar.

En este sentido, el mecanismo de inclusión es el mismo que sirve para excluir. Como cinturón de caballero, se trata de un objeto reversible; tiene dos funciones en una sola. El académico Francisco Zapata frasea el fenómeno de manera impecable en el prólogo a la edición más reciente del FCE de *La élite del poder*: «El mecanismo de la segregación escolar y de la privatización de la educación permite conservar a los integrantes de la élite... [quienes] logran así establecer una dominación durable y casi indestructible. Los excluidos de la educación quedarán marcados para siempre y tenderán a perpetuar su lugar subordinado en las estructuras de poder».

El otro lado de la moneda de ese mecanismo de exclusión es la inoperancia de un sistema de educación pública realmente eficaz para cambiar la trayectoria vital de las personas. En México, contra toda promesa, la educación no ha logrado imponer medidas que limiten los patrones repetidos por los abuelos, padres e hijos y la transmisión intergeneracional de las desigualdades.

En este contexto cabe preguntarse por qué las clases medias han tenido que subsidiar con sus propios recursos una tarea que el Estado debería cumplir a partir de los dineros que provienen del contribuyente. Los mexicanos que cubren sus impuestos suelen ser víctimas de una triple tributación: ante la autoridad hacendaria, ante las instituciones privadas donde se educan sus hijos y ante los costos de una educación de calidad mediocre.

No se han animado todavía los padres de familia abusados por esta circunstancia a movilizar su enojo y convertirlo en una indignación más efectiva, sin embargo la insatisfacción está presente. La encuesta de Ulises Beltrán publicada en la revista *Nexos* de mayo de 2011 da cuenta de ello: 63% de los padres de familia califican a las escuelas públicas mexicanas como regulares, malas o muy malas. Llama la atención que en este sondeo 65% de los profesores compartan la misma idea sobre la educación impartida por el Estado.

A la segregación que produce un sistema educativo donde la distancia reputacional entre la educación privada y la pública es tan grande, se suma la dinámica excluyente que se vive dentro de cada una de las escuelas públicas. A diferencia de las instituciones privadas donde el alumno es rey y el profesor es tratado con desprecio, el sistema público vira hacia el otro extremo: puede aquí afirmarse que no es propenso a valores como la tolerancia, el respeto a la diversidad o la no discriminación.

Los argumentos que ahí organizan la vida en el salón de clases no priorizan el diálogo porque privan las decisiones basadas en la jerárquica del poder y no en la deliberación compartida. Las investigadoras Cecilia Fierro y Patricia Carvajal, en un texto muy interesante denominado «Mirar la práctica docente desde los valores», afirman que dentro de esos salones de clase el núcleo atómico de la pedagogía se sostiene básicamente sobre el respeto a la autoridad. Argumentan que, a diferencia de lo que sería deseable, lo relevante no es la capacidad del estudiante para agregar valor sobre lo aprendido —tema clave evaluado por la prueba PISA— sino someter al estudiante a los designios del profesor. Las tres frases más utilizadas dentro del centro escolar son: «¡Guarda silencio!», «¡Pon atención!» y «¡Trabaja sentado en tu lugar!».

Este modelo pedagógico hace crisis todos los días dentro de los centros escolares porque no da resultado, distancia al educador del educando y no lleva a la construcción de mejores sujetos. Peor aún, reproduce conductas autoritarias, inhibe la capacidad de innovación y combate el pensamiento crítico.

Dos historias relatadas por estas investigadoras ayudan para aproximarse a lo que estaría sucediendo como ambiente general dentro de las escuelas públicas. De ninguna manera podrían tomarse como regla general y, sin embargo, permiten ilustrar algunas prácticas dominantes.

La primera historia tiene que ver con la incapacidad de un docente para concebir los muchos tipos de familia que se expresan hoy en la sociedad mexicana. La sesión escolar comienza con un profesor obligado a abordar el tema de los embarazos en niñas adolescentes:

> —Las mujeres ahora ya casi no son amas de casa porque tienen que trabajar; ya salieron de su casa y de ahí surgen los problemas. ¿Cuántas de sus mamás trabajan? —pregunta.
>
> Aproximadamente catorce alumnos levantan la mano.
>
> —¿Cuántos viven sólo con sus mamás?
>
> Alzan la mano cuatro alumnos.
>
> —¿Y sólo con su papá?
>
> Un estudiante levanta la mano, escucha el rumor provocado por los comentarios de sus compañeros y la baja instintivamente.

El docente vuelve a la explicación:

—Estos niños a veces no reciben todo el amor y todo el cariño que necesitan. Yo soy un ejemplo concreto: llego a las 8 u 8:30 [de la noche], y no tengo tiempo de convivir con mis hijos. Sábado y domingo tengo compromisos. Gracias a Dios sólo soy yo, mi esposa sí está con los niños. Pero cuando los dos trabajan no los controlan [...]; la televisión, los amigos, andan en la calle [...]; las niñas de diez y doce años terminan embarazadas [...].

Este ejemplo, obtenido gracias a Fierro y Carvajal, expone dos dilemas dentro de la cultura pedagógica mexicana. Por un lado, el problema que significa colocar al maestro en una situación donde él es la norma encarnada. Cuando el docente precisa «yo soy un ejemplo concreto», en realidad lo que quiere decir es que la mamá de sus hijos es la vara contra la que deberían medirse todas las madres que están desatendiendo a sus adolescentes y que por responsabilidad suya las niñas están padeciendo embarazos tempranos; es decir, que si la mamá no tuviera que trabajar —y estuviera casada con un hombre como el profesor—, se erradicaría esa situación indeseable.

La segunda observación, más grave, tiene que ver con la distinción que el docente hizo en público entre los niños que viven con sus dos padres, los que sólo viven con la madre y el último que reside únicamente con su papá. No sólo estigmatiza este profesor con su discurso, a partir de una arbitraria valoración sobre aquella familia que debe ser considerada como mejor, sino que además niega a los niños la obtención de herramientas que les permitan vivir con mayor normalidad su circunstancia. El momento más desgastante de esa sesión es cuando el niño que reside con su papá siente vergüenza ante su situación por las murmuraciones que desata la pregunta del maestro.

El segundo episodio transcrito aquí es ilustrativo del discurso autoritario frecuente también dentro de las aulas. Un profesor se dirige a una madre de familia que lleva varios minutos esperando a que se desocupe mientras éste charla con un colega. La escena ocurre frente a los alumnos del salón de clases donde estudia el menor aludido:

—¿Trae el cinto, el palo o qué? Vicente va muy mal, no quiere trabajar...

Mientras la clase entera escucha, y el niño aludido también, la señora anuncia que pronto va a venir su esposo para hablar con el profesor porque ya no saben qué hacer.

El maestro insiste:

—Si ustedes son los que deben tener el palo en la mano...

La madre se defiende:

—Hace mucho que no le pega —refiriéndose al padre—, pero yo creo que eso es lo que quiere.

—Son unos buenos cintarazos lo que al niño le hace falta —subraya machaconamente el profesor. Luego, mirando al conjunto de sus alumnos, pronuncia el siguiente discurso—: Mire, señora, y ustedes, niños, pongan atención. Dicen que en la escuela pública uno como docente no puede hacer alusión a ejemplos que tengan que ver con la religión, a pesar de que uno sea «católico, apostólico y romano». Pero hay un buen ejemplo en el Evangelio. En el Evangelio, Jesús deja al rebaño para ir a buscar a la oveja descarriada, pero esta parábola no se aplica en la escuela. El maestro no puede dejar al grupo por poner al corriente a un solo alumno.

La madre desconcertada se ve obligada a aclarar que el papá de Vicente vendrá a ver al profesor [...] «sólo si el niño promete que va a trabajar en la escuela; de lo contrario, lo vamos a sacar, Lo pondremos a vender periódicos».

El docente aplaude la idea:

—¡Sí, póngale un puesto de periódicos!

La madre abandona el salón y el docente comienza a dar su clase.

Estas historias ayudan a precisar lo que Gilberto Guevara Niebla llama el ambiente moral de algunas escuelas mexicanas; uno donde los docentes pueden tratar los asuntos personales de sus alumnos como si fueran un espectáculo dispuesto para los demás estudiantes. Supondrá el último profesor que avergonzar a Vicente es un método eficaz para cambiar su comportamiento, lo mismo que sugerir la violencia del padre como mecanismo coercitivo o conducir al menor de edad para que trabaje antes de que sea su momento.

Estas pequeñas anécdotas dan cuenta de la manera en que hoy se construye comunidad en algunas escuelas públicas y también sobre el juego que ahí tiene la figura de autoridad para legitimarse, no a partir del diálogo y el respeto, sino de la imposición de normas que vienen desde arriba y cuya desobediencia puede justificadamente merecer la ridiculización en público.

Mientras la escuela no se constituya como el espacio privilegiado para la inclusión, el entendimiento y la cimentación de una comunidad donde todas las personas caben, independientemente de su propia diversidad, será difícil que en el resto de la sociedad cambie la estructura cultural que promueve e impulsa la discriminación y la desigualdad.

En el mismo sentido vale hacer aquí una reflexión sobre la idea que tienen las élites mexicanas a propósito de las escuelas públicas. Mientras quienes residen en los últimos pisos sigan siendo indolentes con respecto al servicio gubernamental de formación y adquisición de conocimientos, el sistema educativo será incapaz de integrar a los distintos Méxicos que constituyen a un mismo país, no a partir de la homogeneización forzada sino del reconocimiento dignificado de las diferencias.

Al Estado, por encima de cualquier otra organización, le toca proveer un sistema capaz de diseminar conocimientos, competencias y herramientas cognitivas, claves todas para la civilización humana y también para atenuar las divergencias y fracturas que normalmente derivan en violencia social.

El Mirreynato es obra de todos

Cenamos. Sus padres no me dirigieron la palabra y hablaron todo el tiempo en inglés. *Honey, how do you like the little spic? He's a midget, isn't he? Oh Jack, please. Maybe the poor kid is catching on. Don't worry, dear, he wouldn't understand a thing.* Al día siguiente Harry me dijo: Voy a darte un consejo: aprende a usar los cubiertos. Anoche comiste filete con el tenedor del pescado. Y no hagas ruido al tomar la sopa, no hables con la boca llena, mastica despacio trozos pequeños.

Lo contrario me pasó con Rosales cuando acababa de entrar en esta escuela, ya que ante la crisis de su fábrica mi padre no pudo seguir pagando las colegiaturas del México. Fui a copiar unos apuntes de civismo a casa de Rosales. Era un excelente alumno, el de mejor letra y ortografía, y todos lo utilizábamos para estos favores. Vivía en una vecindad apuntalada con vigas. Los caños inservibles anegaban el patio. En el agua verdosa flotaba mierda.

A los veintisiete años su madre parecía de cincuenta. Me recibió muy amable y, aunque no estaba invitado, me hizo compartir la cena. Quesadillas de sesos. Me dieron asco. Chorreaban una grasa extrañísima semejante al aceite para coches. Rosales dormía sobre un petate en la sala. El nuevo hombre de su madre lo había expulsado del único cuarto.

José Emilio Pacheco otra vez: *Las batallas en el desierto* vuelve a permitir un retrato preciso de la vida en los distintos pisos del multifamiliar. ¿Qué pasó al final con Harry? ¿Cómo terminó de irle a Rosales? No hay ciencia necesaria para intuir el desenlace. Harry habrá crecido rodeado de ayudantes, prestanombres, aprendices y criados; el autor de esta novela así lo anuncia al principio pero no llega a dar constancia en las últimas páginas. En cambio sí sabemos cómo terminó el amigo pobre de Carlitos, personaje que narra la historia: con el tiempo lo encontró vendiendo chicles Adams en una esquina muy transitada de la gran urbe.

Así es el destino mexicano: allá Harry, acá Rosales y en medio Carlitos, condenados a tenerse miedo. ¿Cómo sería Harry si tuviera que vender chicles en las esquinas? ¿Quién sería Rosales si fuera rico y poderoso? También podría preguntarse Carlitos: «¿Quién sería yo si fuera Harry o si fuera Rosales?». De todas, la última pregunta es la más aterradora, porque se hace en México y no en otra parte del globo donde la estructura de oportunidades sea menos canija.

Mientras sobreviva la convicción de que cerrarle el paso al otro es la forma más eficaz para tener éxito, el miedo de bajar la escalera será enorme y también provocará terror imaginar al nacido pobre por encima de la mayoría.

Nos tenemos miedo los mexicanos. Desconfiamos hasta de nosotros mismos. Así hemos sido y lo seguimos siendo durante el Mirreynato. A lo largo de este libro se ha argumentado que la indolencia predomina como sentimiento entre los habitantes del mismo edificio. La empatía se nos ha vuelto un bien escaso y así lo confirmamos cuando nuestra mirada evita a la niña mazahua de sólo cinco años que viene a pedir una moneda; lo mismo que cuando el delincuente urbano mira al hijo del rico empresario como un objeto al que podrá extraerle mucho dinero, y con un arma cargada se dispone a negarle toda humanidad.

Y sin embargo los habitantes del multifamiliar estamos relacionados de una manera inevitable. No sólo tenemos en común a la Virgen de Guadalupe y la Selección Nacional, hemos contado antes con espejos donde todos nos sentimos cómodos para exhibir nuestro propio reflejo; no abundan pero nada impide que con un poco más de inteligencia pudiéramos multiplicarlos. Tenemos mejores condiciones ahora que en otros momentos para hallar los denominadores comunes, sin embargo, esos puntos de encuentro no los descubriremos por mero voluntarismo. Es una farsa eso de «sentirse muy mexicano»: no es con fabricaciones exaltadas que las comunidades humanas vencen sus miedos, desconfianzas y falta de simpatías. Los panfletos baratos de superación personal llevados a la publicidad del gobierno o los medios de comunicación ofenden más de lo que pueden recomponer.

Dijo una vez Oscar Wilde que el único deber con la historia que tenemos los seres humanos es reescribirla. Los mexicanos deberíamos tomarnos en serio esa responsabilidad, pero para hacerlo se necesita conocer lo que previamente ha sido escrito; se requiere no darle la espalda a la realidad por más desagradable o incierta que parezca. Ese es el propósito de este libro: mostrar un retrato de una época y una generación donde algunos de nuestros vicios más envilecidos decidieron hacer erupción al mismo tiempo: violencia y desigualdad extremas son los dos síntomas de nuestra enfermedad. Comunidad y convergencia podrían ser la solución, pero el régimen moral y político impuesto no ayuda a obtener ninguna de las dos cosas.

Lo impiden el hambre sin límite por ostentar, la impunidad, la corrupción, la discriminación, la desigualdad, el ascensor descompuesto y la mala educación. Se engaña quien crea que estos defectos son únicamente de los residentes del *penthouse*: la gran mayoría los compartimos y por eso todos tenemos algo de mirreyes. No me atrevo aquí a especular sobre en qué piso de la construcción nació cada tara, pero tengo la convicción de que ninguno tiene el monopolio del Mirreynato. La discriminación cruza todas las clases sociales, lo mismo que el desprecio por la ley o la tendencia para arreglarlo todo con dinero.

Sin embargo hay una diferencia que sí es fundamental entre unos y otros mexicanos. No es lo mismo que nos cierre el paso una bicicleta a que lo haga un autobús de pasajeros: si el primer vehículo nos atropella, el accidente dejará unos cuantos raspones; en cambio, si el autobús se nos echa encima podríamos perder la vida.

Cuando la voz popular parafrasea una publicidad política de los años setenta del siglo pasado para afirmar que «la corrupción somos todos», se omite esta distinción necesaria. No tiene las mismas consecuencias la pequeña corrupción que la gran corrupción. El sujeto que entrega un billete de baja denominación al policía de crucero para evitarse una multa comete un acto contrario a la ética y a la ley, pero la empresa farmacéutica que soborna al inspector sanitario para que los hospitales de la seguridad social compren un medicamento caduco puede ser la autora intelectual de muchas muertes, de ahí que lo grande en este caso sea sinónimo de grave.

Para derrocar al Mirreynato sería necesario imponer vergüenza sobre los prepotentes, los burladores de la legalidad, los ladrones del recurso público, los custodios del cierre social, los que tienen secuestrado el aparato distributivo, los que descompusieron el ascensor social y los que le han quitado a la educación su capacidad igualadora. Sobre todo sería necesario, mirándolos al tú por tú, señalar a los peces más grandes, que actúan cargando todos estos vicios sin que paguen por las consecuencias de sus actos.

Si bien es cierto que el origen de los valores y la cultura siempre es impreciso, también lo es que ambos ruedan en cascada desde arriba hacia abajo. Por ello, no es barriendo los vicios del Mirreynato que existen en la planta baja como un día todo el edificio obtendrá mayor dignidad. Llegó el momento para que las cosas dejen de romperse sólo por su lado más delgado.

En esta ocasión no se trata de sustituir a todos los habitantes del último piso por otros residentes: no es llevando a Rosales a que viva en el nivel diez, ni a Harry para que lo haga en la planta baja, como las cosas van a cambiar; lo ideal sería que sin importar dónde esté cada uno sea más sencillo vivir con dignidad y tener una vida buena. Lo deseable sería que en vez del resentimiento mutuo fuésemos todos capaces de vivir con lealtad en un mismo edificio porque las oportunidades dispuestas para todos han dejado de ser determinadas por la cuna y entonces importa el esfuerzo de cada quien.

Cierro advirtiendo que no es la candidez lo que me mueve a dejar una nota de esperanza en el último momento. Lo que sucede es que no estoy dispuesto a concluir este libro con la frase «Ya ni modo»; como dice Gabriela de la Riva, junto al México agachado hay otro que es muy luchón. Ruego porque este libro ayude a la sociedad emergente a saber cuál es la agenda de lucha y transformación que todos nos debemos, los mirreyes incluidos.

Quizá un día, del otro lado del río que estamos atravesando, no habrá más Mirreynato. Ya que eso podría tomarnos cien años, lo mejor es echarse a nadar cuanto antes.

Bibliografía

Alumnos de la Maestría en Periodismo y Asuntos Públicos del CIDE, «La aberración judicial de las dos Güeras», *Nexos*, México, 1 de agosto de 2013, consultado el 20 de octubre de 2014, www.nexos.com.mx/?p=15424

American Chamber Mexico, *Encuesta de Sueldos y Prestaciones 2013*, México, 22 de noviembre de 2012, consultado el 22 de octubre de 2014, www.amcham.com.mx/news/

Animal Político, (s.a.), «A detalle, el caso del endeudamiento de Coahuila», México, 5 de diciembre de 2011, consultado el 20 de octubre de 2014, www.animalpolitico.com/2011/12/a-detalle-el-caso-del-endeudamiento-de-coahuila/

——, «"La corrupción es un asunto cultural": Peña Nieto», México, 9 de septiembre de 2014, consultado el 20 de octubre de 2014, www.animalpolitico.com/2014/09/la-corrupcion-es-un-asunto-cultural-pena-nieto/

Antón A., F. Hernández y S. Levy, *The End of Informality in Mexico? Fiscal reform for Universal Social Insurance*, Estados Unidos, Inter-American Development Bank, 2012.

Aristegui Noticias, (s.a.), «¿Cómo cobran diputados afines a Villarreal "moche" a alcaldes?», México, 26 de noviembre de 2013, http://aristeguinoticias.com/2611/mexico/como-cobran-diputados-afines-a-villareal-moche-a-alcaldes

——, «Ex tesorero de Humberto Moreira se entrega a la justicia de EU», México, 13 de febrero de 2014, consultado el 20 de octubre de 2014, http://aristeguinoticias.com/1302/mexico/ex-tesorero-de-coahuila-se-entrega-a-la-justicia-de-eu

——, «El nuevo aeropuerto nace bajo el secretismo del gobierno», México, 5 de septiembre de 2014, consultado el 20 de octubre de 2014, http://aristeguinoticias.com/0509/mexico/el-nuevo-aeropuerto-nace-entre-el-secretismo-del-gobierno

Aron, Raymond, *Avez-vous lu Veblen?*, Francia, Gallimard, 1970.

Auyero, Javier y M. F. Berti, *La violencia en los márgenes. Una maestra y un sociólogo en el conurbano bonaerense*, Argentina, Katz Editores, 2013.

Azaola Elena y C. Pérez Correa, *Resultados de la primera encuesta realizada a población interna en Centros Federales de Readaptación Social*, México, CIDE, 2013.

Banco Mundial, El, *Banco de datos*, Estados Unidos, consultado el 18 de octubre de 2014, http://databank.bancomundial.org/data/home.aspx

Barstow, David, «*Wal-Mart abroad. How a Retail Giant Fueled Growth with Bribes*», *The New York Times*, Estados Unidos, 15 de abril de 2013, consultado el 20 de octubre de 2014, www.nytimes.com/interactive/business/wal-mart-bribery-abroad-series.html

Beaudrillard, Jean, *Pour une critique de l'économie politique du signe*, Francia, Gallimard, 1977.

Becker, Gary S., *The Economics of Discrimination*, Estados Unidos, The University of Chicago Press, 1971.

Blanco, José Joaquín, *Un chavo bien helado: crónicas de los años ochenta*, México, Era, 1990.

——, «*Town & Country*» *Nexos*, México, 1 de diciembre de 1980, consultado el 21 de octubre de 2014, www.nexos.com.mx/?p=3755

Bolio, Eduardo, et ál., «*A Tale of Two Mexicos: Growth and Prosperity in a Two-Speed Economy*», Estados Unidos, McKinsey Global Institute, marzo de 2014, www.mckinsey.com/insights/americas/a_tale_of_two_mexicos

Campos, Raymundo, et ál. «*The Rise and Fall of Income Inequality in Mexico, 1989-2010*», *Tulane Economics Working Paper Series*, marzo de 2012.

——, *Los ingresos altos, la tributación* óptima *y la recaudación posible. Premio Nacional de Finanzas Públicas 2014*, México, CEFP, 2014.

—— , (eds.), *Movilidad social en México: constantes de la desigualdad*, México, Centro de Estudios Espinosa Yglesias, 2012.

Cantú Concha, et ál., *Cultura de la Constitución en México. Una encuesta de actitudes, percepciones y valores*, México, Universidad Nacional Autónoma de México-Tribunal Electoral del Poder Judicial de la Federación-Comisión Federal de Mejora Regulatoria, 2004.

Caras (s.a.), «Las 50 divorciadas más guapas de Mexico», *Caras*, México, 14 de julio de 2014.

Carbone, June y N. Cahn, *Marriage Markets: How Inequality is Remaking the American Family*, Estados Unidos, Oxford University Press, 2014.

Casar, María Amparo, «¿Cómo y cuánto gasta la Cámara de Diputados?» en *El uso y abuso de los recursos públicos. Cuaderno de debate no. 8*, México, Centro de Investigación y Docencia Económicas, 2011.

Central Intelligence Agency, *The World Factbook*, consultado el 18 de octubre de 2014, www.cia.gov/library/publications/the-world-factbook

Chávez, Paulina y N. Lozano, «La profecía de Atlacomulco», *Quién*, 7 de mayo de 2012, consultado el 21 de octubre de 2014, www.quien.com/espectaculos/2012/05/07/ la-profecia-de-atlacomulco-enrique-pena-nieto

Clark, Gregory, et ál., *The Son Also Rises: Surnames and the History of Social Mobility*, Estados Unidos, Princeton University Press, 2014.

Collier, Paul, *The Bottom Billion*, Estados Unidos, Oxford University Press, 2007.

Collins, Chuck, «*The Wealthy Kids Are All Right*», *The American Prospect*, Estados Unidos, 28 de mayo de 2013, consultado el 22 de octubre de 2014, http://prospect.org/article/wealthy-kids-are-all-right

Consejo Nacional de Evaluación de la Política de Desarrollo Social, *Indicadores de acceso y uso efectivo de los servicios de salud de afiliados al Seguro Popular*, consultado el 20 de octubre de 2014, www.coneval.gob.mx/Informes/Evaluacion/Impacto/Acceso%20y%20Uso%20Efectivo.pdf

——, *Indicadores de desigualdad. Mapas a nivel estatal y municipal, 2000 y 2005*, www.coneval.gob.mx/Medicion/Paginas/Mapas-de-desigualdad-2000-2005.aspx

——, *Informe de pobreza en México, 2012*, www.coneval.gob.mx/Informes/Pobreza/Informe%20de%20Pobreza%20en%20Mexico%202012/Informe%20de%20pobreza%20en%20M%C3%A9xico%202012_131025.pdf

Consejo Nacional para Prevenir la Discriminación, *Encuesta Nacional sobre Discriminación 2010. Resultados Generales*, México, Conapred, 2011.

——, *La otra desigualdad. La discriminación en México*, México, Conapred-Unesco-Instituto de Investigaciones en Innovación y Gobernanza, 2011.

Cordera Campos, Rolando, et ál., *México frente a la crisis: hacia un nuevo curso de desarrollo, 2012*, www.smdtss.com.mx/default/eventos/crisis.pdf

D'Artigues, Katia, «¿Atacar la corrupción? Sí... mañana», *El Universal*, México, 22 de agosto de 2014, consultado el 20 de octubre de 2014, http://m.eluniversal.com.mx/notas/columnistas/2014/08/108425.html

De Shutter, Oliver, *Declaración final de la misión del relator especial de las Naciones Unidas sobre el derecho a la alimentación*, México, Oficina del Alto Comisionado para los Derechos Humanos, 2011.

Del Castillo Negrete Rovira, Miguel, «La distribución del ingreso en México», *Este País*, México, 1 de abril de 2012, consultado el 22 de octubre de 2014, http://estepais.com/site/2012/la-distribucion-del-ingreso-en-mexico/

Diario 24 horas (s.a.), «Cae "niño verde" en alcoholímetro; se resiste a la prueba», *Diario 24 horas*, México, 17 de febrero de 2013.

Díaz Masó, Nuria, «Jorge Kahwagi nos abre las puertas de su casa», *Quién*, México, 23 de enero de 2009.
Díaz Moreno, Eva, «Entre mirreyes te veas», *Excélsior*, México, 7 de octubre de 2012, consultado el 19 de octubre de 2014, www.excelsior.com.mx/2012/10/07/funcion/862925
El Noroeste, (s.a.), «Presume hijo de gobernador de Sinaloa lujos», *El Noroeste*, México, 28 de mayo de 2014.
El Universal, (s.a.), «Voy a hacer historia, voy a detener el barco: mexicano perdido», *El Universal*, México, 19 de junio de 2014.
——, «Video muestra cuando mexicano se tira al mar», *El Universal*, México, 22 de junio de 2014.
Elías, Norbert, *El proceso de la civilización. Investigaciones sociogenéticas y psicogenéticas*, México, FCE, 2009.
Elizondo Mayer-Serra, Carlos y A. L. Magaloni Kerpel, «Nuestros caros defensores de los derechos humanos: el caso de la Comisión Nacional de Derechos Humanos», *Cuaderno de debate no. 13*, México, CIDE, 2010.
——, *Uso y abuso de los recursos públicos*, México, CIDE, 2012.
Esquivel, Gerardo, «Salario mínimo e inflación», *El Universal*, México, 12 de septiembre de 2014, consultado el 22 de octubre de 2014, www.eluniversalmas.com.mx/editoriales/2014/09/72300.php
——, «Salarios mínimos: debate mezquino», *El Universal*, México, 15 de agosto de 2014, consultado el 22 de octubre de 2014, www.eluniversalmas.com.mx/editoriales/2014/08/71869.php
Estrop, Armando, «Guardería ABC: ¿crimen de Estado?», *Reporte Índigo*, México, 1 de septiembre de 2014, consultado el 19 de octubre de 2014, www.reporteindigo.com/reporte/mexico/guarderia-abc-crimen-de-estado
——, «El Bellagio de Zacatecas», *Reporte Índigo*, México, 10 de septiembre de 2012, consultado el 18 de octubre de 2014, www.reporteindigo.com/reporte/mexico/el-bellagio-de-zacatecas
Fierro Evans, Cecilia y P. Carbajal, *Mirar la práctica docente desde los valores*, México, Gedisa, 2003.

Finnegan, William, «*In the Name of the Law. A Colonel Cracks Down on Corruption*», *The New Yorker,* Estados Unidos, 10 de octubre de 2010.

Flores, Onésimo. «Las manos en los bolsillos», *Animal político*, México, 12 de enero, 2012, consultado el 20 de octubre de 2014, www.animalpolitico.com/blogueros-ciudad-posible/2012/01/12/las-manos-en-los-bolsillos

Forbes, (s.a.), «Fernando Romero, el arquitecto mexicano del nuevo aeropuerto», *Forbes*, México, 30 de septiembre de 2014, consultado el 20 de octubre de 2014, www.forbes.com.mx/fernando-romero-el-arquitecto-mexicano-del-nuevo-aeropuerto

——, «Los mexicanos más acaudalados de 2014», *Forbes*, México, 19 de marzo de 2014, consultado el 20 de octubre de 2014, www.forbes.com.mx/los-mexicanos-mas-acaudalados-de-2014

Franco, Fernando, «Sólo en México, 52 millones de pobres *vs* 11 millonarios», *El Economista*, México, 8 de marzo de 2012, consultado el 22 de octubre de 2014, http://eleconomista.com.mx/inventario/2012/03/08/solo-mexico-52-millones-pobres-vs-11-millonarios

Fuentes, Carlos, *La región más transparente*, México, FCE, 1958.

Gamboa, Federico, *Santa*, México, Océano, 1998.

García, Sandra, «Admiten problema en Valle de Bravo», *Reforma*, México, 19 de agosto de 2014.

Greenwood, Chris, et ál., «*Pictured: Son of Mexican politician who plunged to his death "while having sex with wealthy Russian student" on sixth-floor balcony of London Apartment Block*», *Mail Online*, Inglaterra, 11 de junio de 2014.

Guerrero, Claudia, «Cobra Kahwagi sueldo anticipado de un mes», *Reforma*, México, 19 de mayo de 2004.

Heredia, Blanca, «Alumnos ricos, resultados pobres», *El Financiero*, México, 7 de mayo de 2014.

Hernández, Ana Leticia, «Los narcos también tuitean», *Cuadrivio*, México, 2 de junio de 2014, consultado el 19 de octubre de 2014, http://cuadrivio.net/2014/06/los-narcos-tambien-tuitean

Hernández Licona, G., «Escasez, exclusión y discriminación» en *Un nuevo rostro en el espejo: percepciones sobre la discriminación en México*, México, Centro de Estudios Espinosa Yglesias, 2010.

Hernández, Silvia y G. Guillén, «Asegura Semarnat desconocer proyecto», *El Universal*, México, 25 de febrero de 2014, www.eluniversal.com.mx/nacion/108158.html

Herrera, Claudia, et ál., «"Si no pueden con la inseguridad, renuncien", pide Alejandro Martí», *La Jornada*, México, 22 de agosto de 2008.

Hodges Persell, Caroline y P. W. Cookson, Jr. «*Chartering and Bartering: Elite Education and Social Reproduction*», *Social Problems, vol. 33, no. 2*, Estados Unidos, New York University, 1985.

Huerta Wong, Juan Enrique, «El rol de la educación en la movilidad social de México y Chile. ¿La desigualdad por otras vías?», *Revista Mexicana de Investigación Educativa,* México, 2012.

Instituto de Investigaciones Jurídicas, «Código Penal para el Distrito Federal. Capítulo II. Falsedad ante autoridades. Artículo 311», México, Legislación local, 2013, consultado el 18 de octubre de 2014, http://info4.juridicas.unam.mx/adprojus/leg/10/349/344.htm?s=

——, «Código Penal para el estado de Morelos. Capítulo IV. Lesiones. Artículo 121». México, Legislación local, 2013, consultado el 18 de octubre de 2014, http://info4.juridicas.unam.mx/adprojus/leg/18/719/125.htm?s=

——, «Código Penal para el estado de Morelos. Capítulo Único. Allanamiento de Morada. Artículo 149», México, Legislación local, 2013, consultado el 18 de octubre de 2014, http://info4.juridicas.unam.mx/adprojus/leg/18/719/156.htm?s=

Instituto Mexicano de la Juventud, *Encuesta Nacional de Juventud 2005*, México, Instituto Mexicano de la Juventud, 2006.

Instituto Nacional de Estadística y Geografía, *México de un vistazo*, México, Inegi, 2012.

——, *Encuesta Nacional de Ingresos y Gastos de los Hogares 2012*, México, Inegi, 2013.

——, *Encuesta Nacional de Ocupación y Empleo*, México, Inegi, 2014, consultado el 20 de octubre de 2014, www3.inegi.org.mx/Sistemas/infoenoe/Default_CONAPO.aspx?s=est&c=27736

——, *Encuesta Nacional de Victimización y Percepción sobre Seguridad Pública 2014*, México, Inegi, 2014, consultado el 18 de octubre de 2014, www.inegi.org.mx/inegi/contenidos/espanol/prensa/boletines/boletin/comunicados/especiales/2014/septiembre/comunica11.pdf

——, *Nuevas estadísticas de informalidad laboral 2014*, México, Inegi, 2014.

Instituto Nacional de Salud Pública y Secretaría de Salud, *Encuesta nacional de Salud y nutrición. Resultados nacionales*, México, 2012.

Instituto Nacional para la Evaluación de la Educación, *México en PISA 2009*, www.slideshare.net/carlossilvazac/mxico-en-pisa-2009

——, *México en PISA 2012*, México, INEE, 2013.

Islas Arredondo, Rosa Isabel, «Medición multidimensional de la pobreza en México desde un enfoque intergeneracional» en *Movilidad social en México: constantes de la desigualdad*, México, Centro de Estudios Espinosa Yglesias, 2012.

Jaime, Edna y E. Avendaño, «La Presidencia de la República: un apartado que no conoce la crisis», *Cuaderno de debate no. 9*, México, CIDE, 2011.

Juárez G., Leticia, «Insatisfacción», *Nexos*, México, 1 de mayo de 2011, consultado el 21 de octubre de 2014, www.nexos.com.mx/?p=14267

Krugman, Paul, «*Why Inequality Matters*», *The New York Times*, Estados Unidos, 15 de diciembre de 2013, consultado el 22 de octubre, 2014, www.nytimes.com/2013/12/16/opinion/krugman-why-inequality-matters.html?_r=0

Latinobarómetro, *Informe 2013*, consultado el 18 de octubre de 2014, www.latinobarometro.org/documentos/LATBD_INFORME_LB_2013.pdf

Lee, Sunwha y M. C. Brinton, «*Elite Education and Social Capital: The Case of South Korea*», *Sociology of Education, vol. 60, no. 3*, Estados Unidos, University of Chicago, 1996.

Legatum Institute, *Prosperity Index*, consultado el 20 de octubre de 2014, www.prosperity.com/#!/?aspxerrorpath=%2F default.aspx

Levy, Santiago, *Buenas intenciones malos resultados. Política Social, Informalidad y Crecimiento Económico*, México, Océano, 2010.

Lipovetsky, Gilles, *El imperio de lo efímero*, España, Anagrama, 1990.

Magaloni, Ana Laura y C. Elizondo, «¿Por qué nos cuesta tanto dinero la Suprema Corte?», *Cuaderno de debate no. 6*, México, CIDE, 2010, www.cide.edu/cuadernosde-debate.html

Malo, Guzmán Verónica y R. Vélez Grajales (coords.), *El México del 2012: Reformas a la Hacienda Pública y al Sistema de Protección Social*, México, Centro de Estudios Espinosa Yglesias, 2012.

Marías, Javier, «Como antes de la Revolución Francesa», *El País*, España, 18 de mayo de 2014.

Mayoral Jiménez, Isabel, «Forbes exhibe la desigualdad en México», *CNN Expansión*, México, 9 de marzo de 2012, consultado el 22 de octubre de 2014, www.cnnexpansion.com/ economia/2012/03/08/si-carlos-slim-se-fuera-de-shopping

——, «Informales frenan potencial de México», *CNN Expansión*, México, 15 de febrero de 2012, consultado el 22 de octubre de 2014, www.cnnexpansion.com/economia/2012/02/14/ informales-frenan-potencial-de-mexico

——, «Ingreso en México, cada vez más desigual», *CNN Expansión*, México, 5 de mayo de 2011, consultado el 22 de octubre de 2014, www.cnnexpansion.com/economia/2011/05/04/ la-inequidad-del-ingreso-crece-en-mexico

McIntosh, Peggy, «*White Privilege and Male Privilege: A Personal Account of Coming to see Correspondences Through Work in Women's Studies*», *Working Paper no. 189*, Estados Unidos, Wellesley College Center for Research on Women, 1988.

Milenio, (s.a.), «La ostentosa vida de los hijos del Chapo Guzmán», *Milenio*, México, 23 de noviembre de 2013, consultado el 20 de octubre de 2014, www.milenio.com/policia/ostentosa-vida-hijos-Chapo-Guzman_5_196830331.html

—, «No veo a mi padre desde los 15 años: Melissa Plancarte» *Milenio*, México, 2 de abril, 2014, consultado el 20 de octubre de 2014, www.milenio.com/policia/Melissa_Plancarte-Princesa_de_la_banda-Enrique_Plancarte_Solis- templarios-autodefensas_0_239376258.html

Moreno, Regina, «Sherlyn y Gerardo Islas disfrutan vacaciones de ensueño en Asia», *Quién*, México, 20 de julio de 2013, www.quien.com/espectaculos/2013/07/20/sherlyn-y-gerardo-islas-disfrutan-vacaciones-de-ensueno-en-asia

Murillo, Adán Silverio y R. I. Islas Arredondo, «Méritos o amiguismo: ¿determina el nivel de ingreso la forma en que los mexicanos obtienen su trabajo?» en *Movilidad social en México: constantes de la desigualdad*, México, Centro de Estudios Espinosa Yglesias, 2012.

North, Douglas, et ál., *Violence and Social Orders. A Conceptual Framework for Interpreting Recorded Human History*, Inglaterra, Cambridge University Press, 2012.

Olmos, Raúl, «Los cachorros se van a Miami», *AM*, México, 17 de abril de 2013.

—, «Goza lujo en Miami hijo de Deschamps», *Reforma*, México, 6 de mayo de 2013.

—, «La mafia financiera de los Legionarios de Cristo», *Emeequis*, México, 9 de junio de 2013, consultado el 21 de octubre de 2014, www.m-x.com.mx/2013-06-09/la-mafia-financiera-de-los-legionarios-de-cristo-int/comment-page-1

Organización Internacional del Trabajo, *El empleo informal en México: situación actual, políticas y desafíos*, México, OIT, 2014.

Organización para la Cooperación y el Desarrollo Económicos, *¿Crecimiento desigual?: distribución del ingreso y pobreza en los países de la OCDE*, México, OECD Publishing, 2008.

—, *Cerrando las brechas de género: es hora de actuar*, México, OCDE, 2012, consultado el 20 de octubre de 2014,

www.oecd.org/gender/Closing%20the%20Gender%20Gap%20-%20Mexico%20FINAL.pdf
—, *Panorama de la educación 2013*, España, Santillana, 2013, www.oecd.org/edu/Panorama%20de%20la%20educacion%202013.pdf
—, *Society at a Glance 2014: OECD Social Indicators*, Francia, OECD Publishing, 2014, consultado el 19 de octubre de 2014, http://dx.doi.org/10.1787/soc_glance-2014-en
—, *OECD Framework for Statistics on the Distribution of Household Income, Consumption and Wealth*, Francia, OECD Publishing, 2013, consultado el 19 de octubre de 2014, http://dx.doi.org/10.1787/9789264194830-en
Ortiz Proal, Fernando, «Ornitorrinco político», *El Universal*, México, 22 de septiembre de 2006, consultado el 21 de octubre de 2014, www.eluniversal.com.mx/editoriales/35508.html.
Oxfam, «Gobernar para las élites. Secuestro democrático y desigualdad económica», consultado el 21 de octubre de 2014, www.oxfam.org/sites/www.oxfam.org/files/bp-working-for-few-political-capture-economic-inequality-200114-es_0.pdf
Pacheco, José Emilio, *Las batallas en el desierto*, México, Era, 1981.
Pásara, Luis, *Una reforma imposible. La justicia latinoamericana en el banquillo*, Perú, Fondo Editorial PUCP, 2014.
Pasquali, Valentina, «*Income Inequality and Wealth Distribution by Country*», *Global Finance*, Estados Unidos, 22 de agosto de 2012, consultado el 22 de octubre de 2014, www.gfmag.com/global-data/economic-data/wealth-distribution-income-inequality
Peña Nieto, Enrique, *Segundo Informe de Gobierno. 2014*, México, Presidencia de la República, 2 de septiembre de 2014, consultado el 20 de octubre de 2014, http://embamex.sre.gob.mx/peru/images/pdf/mlepn.pdf
Pérez Cervantes, Fernando, «Las desigualdades en el ingreso y gasto de los hogares», *Animal Político*, México, 22 de julio de 2013, consultado el 22 de octubre de 2014, www.animalpolitico.com/blogueros-blog-invitado/2013/07/22/las-desigualdades-en-el-ingreso-y-gasto-de-los-hogares

Piketty, Thomas, *Capital in the Twenty-First Century*, Estados Unidos, Belknap-Harvard Press, 2014.

Piz, Víctor, «México, líder en desigualdad», *El Financiero*, México, 22 de mayo de 2013, consultado el 22 de octubre de 2014, www.elfinanciero.com.mx/opinion/mexico-lider-en-desigualdad.htm

Proceso (s.a.), «Arrepentido, nieto de Murillo Karam se presenta en la Procuraduría de Morelos», *Proceso*, México, 21 de mayo de 2013.

Programa de las Naciones Unidas para el Desarrollo, *Mujeres. Participación Política en México 2012*, México, PNUD, 2012.

Quién (s.a), «Así fue la despedida de soltera de Alessandra Rojo de la Vega», *Quién*, México, 11 de julio de 2013, consultado el 19 de octubre de 2014, www.quien.com/fotogalerias/2013/11/07/fotos-asi-fue-la-despedida-de-soltera-de-alessandra-rojo-de- la-vega

——, «Fotos: Bárbara Coppel y sus vacaciones por el mundo», Quién, México, 8 de agosto de 2013, consultado el 18 de octubre de 2014, www.quien.com/fotogalerias/2013/08/08/barbara-coppel-y-sus-vacaciones-por-el-mundo

——, «Falleció hijo de político mexicano tras caer de edificio en Londres», *Quién*, México, 15 de junio de 2014.

Raphael, Ricardo (coord.), *Reporte sobre la discriminación en México 2012*, México, Conapred-CIDE, 2012.

——, «¿Por qué me hablas al tú por tú?», *Sin Embargo*, México, 31 de mayo de 2013, www.sinembargo.mx/opinion/31-05-2013/14756

——, «La informalidad discrimina», *Sin Embargo*, México, 14 de febrero de 2014, www.sinembargo.mx/opinion/14-02-2014/21623

——, «El oficio desiguala», *Sin Embargo*, México, 21 de febrero de 2014, www.sinembargo.mx/opinion/21-02-2014/21802

——, «La niña Mazahua y el joven de Antara», *El Universal*, México, 3 de marzo 2014, www.eluniversalmas.com.mx/editoriales/2014/03/69018.php

——, «La violencia en la periferia», *El Universal*, México, 10

de marzo de 2014, www.eluniversalmas.com.mx/editoriales/2014/03/69139.php
——, «No atendemos personas como usted», *El Universal*, México, 26 de marzo de 2014, www.eluniversalmas.com.mx/editoriales/2014/03/69401.php
——, «Chacha, gata, criada, fámulla», *Sin Embargo*, México, 28 de marzo 2014, www.sinembargo.mx/opinion/28-03-2014/22729
——, «La dictadura de los Mirreyes», *El Universal*, México, 21 de abril 2014, www.eluniversalmas.com.mx/editoriales/2014/04/69857.php
——, «Los Mirreyes», *El Universal*, México, 28 de abril 2014, www.eluniversalmas.com.mx/editoriales/2014/04/69981.php
——, «El Mexiquito y el Mexicote», *El Universal*, México, 26 de mayo de 2014, www.eluniversalmas.com.mx/editoriales/2014/05/70433.php
——, «Discriminación financiera», *Sin Embargo*, México, 27 de junio de 2014, www.sinembargo.mx/opinion/27-06-2014/25040
——, «Trágico monumento a la discriminación», *El Universal*, México, 21 de julio de 2014, www.eluniversalmas.com.mx/editoriales/2014/07/71451.php
——, «Crecer el salario I», *El Universal*, México, 28 de julio de 2014, www.eluniversalmas.com.mx/editoriales/2014/07/71580.php
——, «Crecer el salario II», *El Universal*, México, 4 de agosto de 2014, www.eluniversalmas.com.mx/editoriales/2014/08/71692.php
——, «¿Por qué Romero y Foster?», *El Universal*, México, 15 de septiembre de 2014, http://m.eluniversal.com.mx/notas/articulistas/2014/09/72348.html
Reardon, Sean F., «*The Widening Income Achievement Gap*» en *Whither Opportunity? Rising Inequality, Schools, and Children's Life Chances*, Estados Unidos, Russell Sage Foundation, 2011.
Reforma (s.a.), «Indagan muerte durante fiesta del "Niño Verde"», *Reforma*, México, 7 de noviembre de 2011.
——, «Manda cerrar negocio hija de titular de Profeco», *Reforma*, México, 28 de abril de 2013.

——, «Voy a hacer historia», *Reforma*, México, 20 de junio de 2014.
——, «Encarcelan a panistas por acoso y agresión», *Reforma*, México, 1 de julio de 2014.
——, «Les tenemos que enseñar que tienen que trabajar», *Reforma*, México, 23 de julio de 2014.
Robles de la Rosa, Leticia, et ál., «La senadora Luz María Beristain se justifica», *Excélsior*, México, 29 de mayo de 2013.
Rodríguez Zepeda, Jesús, *¿Qué es la discriminación y cómo combatirla?*, México, Conapred, 2004, www.conapred.org.mx/documentos_cedoc/CI002.pdf
——, «Prejuicio y estigma en el imaginario colectivo de la discriminación en México» en *Un nuevo rostro en el espejo: percepciones sobre la discriminación en México*, México, Centro de Estudios Espinosa Yglesias, 2010.
Rojas Valdés, Rubén Irvin, «Transmisión intergeneracional del ingreso en México» en *Movilidad social en México: constantes de la desigualdad*, México, Centro de Estudios Espinosa Yglesias, 2012.
Rosanvallon, Pierre, *La sociedad de los iguales*, Argentina, Manantial, 2012.
Rosas, Tania, «Deuda estatal, la dimensión desconocida», *El Economista*, 23 de mayo de 2013, consultado el 20 de octubre de 2014, http://eleconomista.com.mx/finanzas-publicas/2013/05/23/ deuda-estatal-dimension-desconocida
Rothman, Joshua, «*The Origins of "Privilege"*», *The New Yorker*, 12 de mayo de 2014, consultado el 22 de octubre de 2014, www.newyorker.com/books/page-turner/the-origins-of-privilege
Ruiz, Ramón Eduardo, *México: Por qué unos cuántos son ricos y la población es pobre*, México, Océano, 2010.
Saveth, Edward N., «*Education of an Elite*», *History of Education Quarterly vol. 28, no. 3*, Estados Unidos, History of Education Society, 1988.
Schopenhauer, Arthur, *El amor y otras pasiones; la libertad*, España, Libsa, 2000.
SDP Noticias (s.a.), «¿Crisis? Los mirreyes de Estados Unidos no conocen esa palabra», *SDP Noticias*, México, 7 de noviembre de 2012.

Secretaría de Gobernación, *Decreto por el que se aprueba el Programa para Democratizar la Productividad 2013-2018*, México, Secretaría de Gobernación, 2013.

——, *Encuesta Nacional sobre Cultura Política y Prácticas Ciudadanas 2008*, México, Segob-Inegi, 2008, www.encup.gob.mx/es/Encup/Cuarta_ENCUP_2008

Serrano Espinosa, Julio y R. Casanova, *¿Nos movemos?: La movilidad social en México*, México, Fundación ESRU, 2008.

Silverio Murillo, Adán y R. I. Arredondo, «¿Determina el nivel e ingreso la forma en que los mexicanos obtienen su trabajo?» en *Movilidad social en México: constantes de la desigualdad*, México, Centro de Estudios Espinosa Yglesias, 2012.

Sin Embargo (s.a.), «Romero Deschamps: El líder petrolero y dinosaurio del PRI que acompañará a Peña Nieto en todo el sexenio», *Sin Embargo*, México, 8 de febrero de 2013, consultado el 18 de octubre de 2014, www.sinembargo.mx/08-02-2013/518661

Snyder, Jeffrey Aaron, «*Why Public Schools Outperform Private Schools*», *Boston Review*, Estados Unidos, 5 de diciembre de 2013, consultado el 22 de octubre de 2014, www.bostonreview.net/us/snyder-public-private-charter-schools-demographics-incentives-markets

Soloaga, Isidro, «Movilidad ¿de qué?» en *Movilidad social en México: constantes de la desigualdad*, México, Centro de Estudios Espinosa Yglesias, 2012.

Tavira, Alberto, «Los mirrey(sazos) de la política», *Animal Político*, México, 13 de diciembre de 2012, consultado el 18 de octubre de 2014, www.animalpolitico.com/blogueros-cuna-de-grillos/2012/12/13/los-mirrey-sazos-de-la-politica-fotos/#axzz35kEUYB8m.

The New York Times (s.a.), «*The President on Inequality*», *The New York Times*, 4 de diciembre de 2013, consultado el 22 de octubre de 2014, www.nytimes.com/2013/12/05/opinion/the-president-on-inequality.html?_r=0

Tilly, Charles. *La desigualdad persistente*, Argentina, Manantial, 2000.

Transparencia Mexicana, *México se ubica en la posición 106 de 177 países en el* Índice *de Percepción de la Corrupción 2013*, 12 de febrero de 2013, consultado el 20 de octubre de 2014, www.tm.org.mx/ipc2013

Transparency International, *Indice de percepción de la corrupción*, consultado el 19 de octubre de 2014, www.transparency.org/cpi2013

Triano Enríquez, Manuel, *Desigualdad de oportunidades y trayectorias ocupacionales en la ZMVM*, tesis para optar el grado de Maestro en Población y Desarrollo, México, Flacso, 2010.

——, «Desigualdad de oportunidades y trayectorias ocupacionales en tres cohortes de hombres y mujeres en la ZMVM» en *Movilidad social en México: constantes de la desigualdad*, México, Centro de Estudios Espinosa Yglesias, 2012.

Veblen, Thorstein, *Teoría de la clase ociosa*, México, FCE, 1974.

Vélez Grajales, Roberto, et ál., «El concepto de movilidad social: dimensiones, medidas y estudios en México» en *Movilidad social en México: constantes de la desigualdad*, México, Centro de Estudios Espinosa Yglesias, 2012.

Wearden, Graeme, «*Oxfam: 85 richest people as wealthy as poorest half of the world*», *The Guardian*, Inglaterra, 20 de enero de 2014, consultado el 19 de octubre de 2014, www.theguardian.com/business/2014/jan/20/oxfam-85-richest-people-half-of-the-world

World Economic Forum, *The Global Gender Gap Report. Insight Report*, Suiza, World Economic Forum, 2013.

Wornat, Olga, *Crónicas malditas*, México, Grijalbo, 2005.

Wright Mils, Charles, *La élite del poder*, México, FCE, 2013.

Xicoténcatl, Fabiola, «Audio: Exhiben a Granier hablando de gastos excesivos en ropa», *Excélsior*, México, 14 de mayo de 2013, consultado el 20 de octubre de 2014, www.excelsior.com.mx/nacional/2013/05/14/899015

——, «Detectan nuevo desfalco de Andrés Granier Melo por 5 mil 400 mdp», *Excélsior*, México, 24 de octubre de 2013, consultado el 20 de octubre de 2014, www.excelsior.com.mx/nacional/2013/10/24/925180

Zabludovsky, Gina, «Prefacio» en *El proceso de la civili-*

zación. Investigaciones sociogenéticas y psicogenéticas, México, FCE, 2009.

Zapata, Francisco, «Prólogo» en *La* élite *del poder*, México, FCE, 1987.

Zepeda, Jorge, «Ladys y mirreyes: aristocracia mexicana», *El Universal*, México, 2 de junio de 2013, consultado el 20 de octubre de 2014, www.eluniversalmas.com.mx/editoriales/2013/06/64794.php